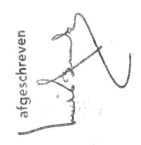

afgeschreven

HORRORVILLE

Nico De Braeckeleer
[www.nicodebraeckeleer.be]
Horrorville

Vanaf 10 jaar

© 2007, Abimo Uitgeverij
Europark Zuid 9, 9100 Sint-Niklaas, België
foon: 03/760.31.00 fax: 03/760.31.09
website: www.abimo.net
e-mail: info@abimo.net

Eerste druk: september 2007

Coverillustraties
Marjolein Hund

Vormgeving
Marino Pollet

NUR 283
D/2007/6699/49
ISBN 9789059323797

HORRORVILLE

Nico De Braeckeleer

ABIMO
UITGEVERIJ

Voor mijn grootmoeder die, net zoals ik, gepassioneerd is door boeken en verhalen over de mysteries van het leven, de dood en het leven na de dood.

Een woord van dank aan alle mensen die bij de eerste versies van dit boek hun opmerkingen hebben gegeven, en in het bijzonder aan bibbercollega's Johan Vandevelde en Bavo Dhooge.

[1] Kikker of verdriet?

'Ik zal je missen, Ella.'
Paps drukte me tegen zijn borstkas en sloeg zijn armen beschermend om me heen. Mijn gezicht verzonk in zijn dikke wollen sweater.
'Paaaahhhhpppppppssssss... laat me nou los! Ik stik!'
Met tegenzin gleden zijn armen van me af.
Uiteraard kwam ik niet echt in ademnood. Het afscheid had gewoon lang genoeg geduurd. In tranen uitbarsten was het laatste wat ik wilde. Ik was allesbehalve een watje. Geen haar op mijn hoofd die er aan dacht om nu ineens papa's kleine meid te zijn! Ik was dertien jaar! Oud genoeg om mijn eigen boontjes te doppen! Trouwens, dat was niet eens nodig. Mams zat in de auto op me te wachten, en paps zou me elk weekend komen halen.
Ik vervloekte mijzelf toen er toch een traan over mijn wang rolde.
'Ik ga niet aan de andere kant van de wereld wonen, hoor paps!' zei ik stoer. 'Binnen anderhalf uur ben je bij mij als het moet.'
Mijn stem was gezwollen en verstikt met tranen, maar ik deed of ik dat niet doorhad en ik hoopte dat paps het ook niet zou merken. Toen ik aan zijn ogen zag dat hij besefte dat ik een façade optrok, bromde ik: 'stomme kikker in mijn keel!'.

'Ik bel je elke dag', zei hij met een stem die even dik en onvast was als die van mij.

'Ook als je moet werken?' vroeg ik, omdat ik vermoedde dat hij het dan wel eens zou kunnen vergeten.

'Ook dan.'

'Kruis over je hart?'

'Kruis over mijn hart!'

Dat zeiden we altijd als we wilden nagaan of we elkaar de waarheid vertelden. Toen ik nog klein was durfde ik nog wel eens te jokken en daarom bedacht paps dat zinnetje. *Kruis over mijn hart* betekende zoveel als *echt, echt, echt waar!* en sloot uit dat het om een leugen ging. Het was een zinnetje dat we ook nu nog dikwijls gebruikten. Stom hè?

Ik beende naar de auto, maar paps kon het niet laten om mij vlug nog even vast te pakken. Hij drukte een kus op mijn wang.

'Als er iets is, bel je me hè?' vroeg hij.

'Ja, direct na de brandweer, de politie en het leger', grijnsde ik.

Met evenveel tegenzin als paps me had losgelaten, opende ik het portier en liet me naast mams op de passagiersstoel neerzakken.

Ik wilde hier in de stad blijven en voelde er weinig voor om in het boerengat Horville te gaan wonen. Volgens de websites die ik had bezocht op het internet was Horville één van de kleinste en meest afgelegen stadjes van het land. In het noorden, oosten en zuiden was het omzoomd met uitgestrekte bossen en in het westen werd het ingesloten door een brede rivier.

Ik keek over mijn schouder naar de achterbank, waarop een ijzeren kooitje stond dat paps in elkaar had geknutseld. Er liep een klein, schattig hamstertje in rond. Storm was de naam van het pluizige diertje dat nu met zijn lange scherpe tandjes op zijn korrels knaagde. Ik had mijn hamstertje zo genoemd toen ik hem een paar maanden geleden van paps voor mijn verjaardag kreeg. Niet omdat het diertje een wildebras is, maar omdat ik een enorme fan ben van de strips en films van de *X-men*. Eén van de *X-men* heet namelijk *Storm* en ik vond het wel een leuke naam voor het snoezige diertje. Zeker omdat er een grote gelijkenis was tussen het personage uit de *X-men* en mijn hamster; ze hadden allebei sneeuwwit haar. Mijn huisdiertje was namelijk een albinohamster. Naast zijn witte haartjes waren ook zijn lichtrode ogen heel opvallend. De naam Storm vond ik in elk geval veel leuker voor mijn hamster dan witje, snufje of stinkie. Het looprad lag er zoals altijd verlaten bij. Storm was helemaal niet sportief aangelegd. Eigenlijk had hij ook niet echt sociale vaardigheden. Alleen gastronomische bezigheden konden hem bekoren, met andere woorden: hij hield van eten, eten en eten. Storm leek in dat opzicht wel op mij. Niet dat ik zoveel naar binnen schrokte als hij, maar ook ik was niet sportief of sociaal onderlegd. Mijn grootste lichamelijke inspanning bestond er in om mijn duim over de toetsen van de afstandsbediening van de televisie te laten zweven. Op sociaal vlak was ik nogal grof en rechtuit, wat mij niet bepaald veel vrienden had opgeleverd. Toch had ik één hartsvriendin: Dafne. We deelden alles met elkaar. Tot nu, want zij bleef lekker hier in de stad wonen, terwijl ik verhuisde naar een plattelandsstadje boordevol boerenpummels.

De komende jaren zou Storm mijn beste vriend zijn. Hij leek er zich weinig van aan te trekken dat we uit de stad vertrokken. Hij had alleen oog voor de korrels die op een hoopje in zijn kooitje lagen.

Paps zwaaide met beide handen naar me toen mams zich in het drukke verkeer mengde. Ik wuifde met een slap handje terug en voelde weer een traan langs mijn neus glijden. Ik veegde het vocht vlug weg met de palm van mijn hand en zette de cd-speler op. Limp Bizkit deed de luidsprekers daveren. Ik kreeg er tandpijn van, dat moest dus wel goede muziek zijn.

'Zou je geen andere cd opzetten? Dat gejengel werkt me op de zenuwen!' beet mams mij toe.

Pfff… Zij had toch geen reden tot klagen. Ik was degene die recht voor een luidspreker zat! Mijn kiezen werden bijna uit mijn tandvlees gedreund. Tja, voor eersteklas *metal* en *rock* moet je wat over hebben!

Ik negeerde mams, griste van de achterbank een supergrote zak gezouten chips die ik had meegebracht voor onderweg, en tuurde door het zijraampje naar de voorbijglijdende flatgebouwen.

Terwijl ik het ene na het andere chipsschijfje naar binnen werkte, dacht ik erover na dat ik mams de laatste tijd wel eens meer negeerde. Ze kon enorm op mijn zenuwen werken sinds de scheiding. Voor de scheiding kon ik bij paps terecht als ze me enerveerde, maar dat was nu niet meer mogelijk. Met paps was het anders. Wij waren als twee handen op één buik. In de weekends was het met hem altijd *fun*. Spijtig genoeg moest hij dit weekend werken. Anders had ik nog drie daagjes langer in de stad kunnen vertoeven.

De laatste tijd dacht ik wel meer in termen van *voor* en *na de scheiding*, alsof er voor mij een nieuw tijdperk was aangebroken, zoiets als *voor* en *na Christus*, *voor* en *na Wereldoorlog I*, en *voor* en *na 11 september*.

Ach, de scheiding was zo erg nog niet. Ik kreeg nu meer van mijn ouders gedaan – van paps veel meer en van mams een beetje meer. Bovendien kon ik hen nu ook meer onder druk zetten met zinnetjes zoals *'Jamaar, van paps (of mams) mag ik dat wel'* waardoor ze gingen twijfelen aan de juistheid van hun beslissing.

En dan waren er ook nog vele andere voordelen zoals... euh... mmm... nou ja, ik weet het niet. Eerlijk gezegd zijn er meer nadelen. Daar zou ik een boek mee kunnen vullen. Niet dat ik me tegen de scheiding had verzet. Absoluut niet. Dat had toch geen zin. Ik was ook niet één van die kortzichtige kinderen die wenste dat zijn ouders ooit weer gelukkig samen zouden zijn. Helemaal niet. Als eerste had ik de scheiding zien aankomen. In het begin waren er de ruzies, toen de ongemakkelijke stiltes, daarna kochten ze elk een eigen tv en vervolgens een eigen bed. De koop van een eigen huis was een kwestie van tijd.

Mams en paps hadden de opbrengst van ons huis eerlijk verdeeld en daarmee hun eigen woning gekocht. Paps een flat in het centrum van de stad, niet ver van de loodsen van de technische stadsdienst waar hij werkte. Mams een huisje in het kleine, afgelegen stadje Horville, waar we op dit eigenste moment naartoe reden.

Ik had mams gesmeekt om in de stad te blijven, maar ze wilde een volstrekt nieuw leven opbouwen. Horville leek haar de perfecte plaats. Tegen een spotprijs had ze er een woning aangekocht, nadat ze er werk had gevonden als redactrice bij een uitgeverij van prentenboeken voor kleuters. Haar huidige baan als administratief bediende bij een bank had ze onmiddellijk opgezegd.

Ik vond het nogal zelfzuchtig van haar. Ze had bij deze verhuizing gerust wat meer rekening met mij mogen houden. Tja, wie houdt er nu rekening met een dertienjarige?

Ik vroeg me af wat de kinderen in Horville op school leerden. Hoe ze koeien moesten melken? In de praktijk zou ik dan zeker nul scoren, want ik dacht er niet aan om aan tepels van koebeesten te trekken.

Terwijl we over de snelweg reden, pakten grijze wolken zich samen tot een ondoordringbaar grauw wolkendek dat zwanger was van sneeuw. Niet veel later dwarrelden de eerste sneeuwvlokken uit de lucht. Door de hevige kou van de laatste dagen bleef elk sneeuwvlokje liggen. Ik bad dat het nog harder zou gaan sneeuwen, zodat we onze rit zouden moeten staken. Mijn wens kwam slechts voor een deel uit. Het begon inderdaad heviger te sneeuwen, maar niet fel genoeg om het verkeer stil te leggen. Mams reed stapvoets verder.

Na twee uur begon het me de keel uit te hangen. Ik had dorst en honger. De rit die normaal slechts anderhalf uur duurde, zou een lange lijdenstocht worden. Ik begon mezelf al te vervloeken omdat ik meer sneeuw had gewenst, maar hoe lief ik de weergoden ook vroeg om hun kussengevecht te staken, miljarden dikke ijskristallen bleven over het wegdek warrelen.

Net voor ons draaide een strooiwagen de snelweg op. Het zout sproeide rijkelijk in het rond. Het tafereel deed me aan paps denken. In de winter moest ook hij dikwijls rondrijden in een strooiwagen van de dienst Wegen van het stadsbestuur. Als het zo bleef sneeuwen kon het zijn dat hij vanavond al moest uitrukken.

Nadat ik een kwart van de chips had opgepeuzeld, deed ik het pak dicht. Ik legde het op de achterbank. Ver genoeg uit de buurt van Storm, want die mocht geen chips eten. Zout voedsel was voor hem verboden omdat het slecht was voor zijn nieren. De dierenarts had me uitgelegd dat voor hamsters en andere dieren die in droge gebieden thuisho-

ren extra zout heel slecht is omdat het hun nieren overbe-
last. Hoewel Storm tuk was op chips en nootjes kreeg hij er
dus geen meer.

Ik staarde naar buiten, en de witgrijze omgeving had een
verdovend effect op mij. Toen ik in een onbewaakt moment
mijn ogen sloot, dommelde ik in. In mijn droom bewoonde
ik samen met mams een warm, knus, ruim appartement in
de stad. De radio in onze flat stond loeihard. Uit de luidsprekers schalde muziek van Limp Bizkit. Ik danste in het
rond, terwijl buiten de sneeuwvlokken op de maat van de
muziek mee swingden in de asgrauwe lucht.

[2] Met of zonder zout?

'We zijn er, Ella, we zijn er!'
'Wat?'
Versuft opende ik mijn ogen.
'We zijn in Horville!'
Ik ging wat rechter zitten en keek door het zijraampje naar buiten. Een dik sneeuwtapijt bedekte de straten en velden. Naast de weg stond een beschadigd wit bord met daarop "Welkom in Horville". Dat meende ik er tenminste uit af te leiden, want de verbleekte letters waren nauwelijks leesbaar. Een zure oprisping in mijn slokdarm. Van de honger? Ik dacht het niet. De droom waarin ik rondhuppelde op de muziek van Limp Bizkit stond in schril contrast met deze nachtmerrie.

Mijn herinnering aan de droom vervaagde toen ik de man zag. Hij stond enkele meters voorbij het welkomstbord. Een lange, magere man, getooid in een roetzwarte broek en jas. Zijn voorhoofd zat deels verscholen onder een donkere ski-muts en zijn mond onder een ravenzwarte sjaal. Zijn kraal-oogjes staarden me doordringend aan. Een rilling passeerde mijn ruggengraat en het was heus niet van de kou, want de verwarming in de auto werkte prima.

'Hier is nog niet gestrooid', merkte mams op.
'Nee', zei ik afwezig, nog steeds met het beeld van de vreemde man voor ogen.

'Hoelang zijn we al onderweg?' vroeg ik.

'Bijna drie uur.'

'Jeetje. Heb ik een uur geslapen?'

Mams knikte.

'Ik heb honger', zei ik op zeurderige toon.

'Eerst laat ik je het huis even zien. Daarna gaan we iets eten in dat restaurantje.'

Mams wees naar een oude hoeve. Boven de deur hing het bord "Taverne restaurant De Hor". Indien het bord er niet had gehangen, had ik nooit kunnen gissen dat het vervallen gebouw een restaurant was. Hoewel ik honger had, liep het water me niet bepaald in de mond bij de gedachte om daar te gaan eten. Voor een koe mocht het dan misschien een viersterrenrestaurant zijn, ik vond het er niet bepaald smakelijk uitzien.

Ik keek om me heen terwijl we Horville doorkruisten. Hoewel, veel doorkruisen was er niet aan. Er waren maar enkele straten. Mams had Horville als 'eenvoudig' en 'landelijk' omschreven. Ik definieerde het eerder als 'petieterig' en 'boers'.

De besneeuwde landerijen, waarop tientallen paarden liepen en koeien graasden, waren uitgestrekt, maar het centrum zelf kon je in één blik volledig aanschouwen. In onze straat in de stad stonden meer huizen dan hier in het volledige stadje. Het was ook onmogelijk om de horizon te zien, want het plaatsje werd aan alle kanten ingesloten door bomen.

'Kijk daar is onze *cottage*', grijnsde mams terwijl ze naar een klein, wit boerenhuisje wees.

De *cottage* - wat haatte ik dat woord - deed me denken aan een kinderboerderij. Het was een miniatuur van de andere boerenwoningen in het stadje. En als je dan bedacht dat die al niet groot waren!

'Mooie geitenstal. En waar is ons huis?'

Mams deed of ze me niet hoorde en draaide de smalle oprit op. Ze had me meerdere keren gevraagd om mee naar het huis te komen kijken, zelfs nog voor ze het had gekocht, maar ik had elke keer onvriendelijk bedankt. Of ik nu was meegegaan of niet, uiteindelijk had ze toch haar zin doorgedreven.

Met tegenzin stapte ik uit de wagen en met nog meer afkeer volgde ik mams naar binnen. Het liefst was ik buiten blijven staan, maar daarvoor was het te koud.

De verse sneeuw kraakte onder mijn schoenzolen. Een geluid dat me anders altijd kon opfleuren, maar nu niet.

Binnen was het even ouderwets, bouwvallig en klein als buiten. Meubilair was er nog niet, dat werd straks door een verhuisfirma geleverd. Het zou proppen worden om al onze kasten en tafels hier binnen te krijgen.

'Wat vind je ervan?' vroeg mams.

'Dat wil je niet weten.'

Mams keek me ontstemd aan.

'Waarom doe je nou zo negatief?'

Ik plaatste mijn wijsvinger nadenkend op mijn licht geopende lippen en deed alsof ik diep nadacht.

'Waarom doe ik zo negatief? Laat me eens denken... Omdat je me weghaalt bij paps en bij mijn vrienden en me naar dit godvergeten boerengat sleurt!!!'

De laatste woorden schreeuwde ik. Zoals altijd wilde ik na een woede-uitbarsting naar mijn kamer lopen, maar ik kwam al vlug tot het besef dat ik hier nog helemaal geen kamer had. Daarom draaide ik me om en beende naar buiten, de vrieskou in. Ik wilde in de auto gaan zitten, maar mams had met de afstandsbediening de portieren afgesloten. Daarom bleef ik buiten gewoon maar wat rondlummelen.

Mams kwam in de deuropening staan.

'Kom op, Ella, laten we er het beste van maken.'

'Het beste? Ik...'

Ik was klaar voor een volgende woede-uitbarsting maar op dat ogenblik wandelden een man, een vrouw en een meisje de oprit op.

De vrouw kwam naar me toe en omhelsde me alsof ik haar dochter was.

'Jij moet Ella zijn. Wat ben je een mooi meisje.'

Kots, kots, kots!

Ze wees naar het meisje dat achter haar aanliep.

'Dit is mijn dochter, Kika. Ze is ook dertien.'

Van een boerentrien gesproken! Haar rood bordeaux geruite rokje leek van honderd jaar geleden en haar wollen jas had ze beter aan haar grootmoeder cadeau kunnen doen. Tenminste, als die hem niet te ouderwets vond.

Het boerinnetje was te verlegen om me aan te kijken en blikte naar haar zwarte schoentjes, die ze waarschijnlijk van een antieke pop had gestolen.

Ik staarde het meisje aan zonder een woord uit te brengen.

Ik was niet eens onbeleefd, want ze sprak me ook niet aan.

'Wat zullen jullie goede vriendinnetjes worden', gniffelde haar moeder.

Kots, kots, KOTS!

De vader sjokte als een verdwaalde schooier achter zijn vrouw en dochter aan. Onder elke arm droeg hij een vierkante doos.

'Linda!' begroette mams de vrouw veel te vriendelijk naar mijn zin.

Ze omhelsden elkaar alsof ze al jaren vriendinnen waren.

'Dit zijn de buren, liefje.'

Liefje? We zaten middenin een ruzie!

Mams liet de buren binnen. Eerst weifelde ik, maar uiteindelijk volgde ik hen toch maar. Gewoon om na te gaan hoe dom ze wel waren. Tot mijn verbazing bracht mams de eerste stommiteit uit.

'Ga zitten', zei ze, hoewel er geen enkele stoel of bank te bespeuren was. Mams zag haar blunder zelf ook in.

'Euh… de verhuiswagen komt straks pas.'

Voor de wangen van mams nog roder konden aanlopen, veranderde de buurvrouw van onderwerp.

'Ik heb twee taarten voor jullie gebakken.' Ze keek haar man aan. 'Arnold!'

'Ah ja', zei hij, alsof hij nu pas besefte dat hij de taarten vasthield.

Hij overhandigde mams de taarten.

'Alstublieft, mevrouw Geynders.'

'O wat leuk!'

Mams wist niet goed wat ze met de taarten moest aanvangen omdat er geen tafel stond. Uiteindelijk zette ze de twee dozen op de vensterbank.

Er viel een ongemakkelijke stilte. Zowel mams als de buren wisten niet goed wat ze moesten zeggen.

Kika staarde nog steeds naar haar schoenen, alsof daar iets belangrijks stond opgeschreven. Hoe langer ik naar haar keek, hoe onnozeler ze er leek uit te zien.

Linda nam uiteindelijk het woord.

'Wist je dat mijn echtgenoot schepen is in het stadsbestuur?'

Haar echtgenoot grijnsde ijdel, alsof het ambt van schepen hem minder debiel maakte dan hij was.

'De burgemeester heeft me verteld dat hij nog even langskomt om jullie te verwelkomen', deelde hij mee.

'O wat leuk', herhaalde mams zichzelf.

'Goed', besloot Linda, 'Dan zullen we jullie nu met rust

laten. Nogmaals hartelijk welkom in ons rustieke stadje.'
Rustiek? Saai, ja!
'Heel lief van jullie om langs te komen', grijnsde mams.
Lief was het laatste woord dat in me zou opkomen om hun
houding te beschrijven. *Nieuwsgierig.* Dat was een veel
gepaster woord. Ze kwamen hier rondneuzen om te zien
wat voor vlees ze in de kuip hadden. Het was me opgeval-
len hoe de buurvrouw me voortdurend in de gaten hield,
alsof ze door mijn kleren probeerde te turen om mijn naakte
lichaam te bekijken. Ik wist me geen houding te geven. Toen
ze ons huis verliet, wierp ze nog één van die ongemakke-
lijke blikken op mij.
Ik gooide de deur achter hen dicht.
'Wat een idioten!'
'Die mensen proberen gewoon vriendelijk te zijn.'
'Laat ze maar ergens anders vriendelijk gaan wezen.'
'Ik weet niet wat ik met jou moet aanvangen, Ella.'
De wanhoop klonk door in mams' stem.
'Je kunt altijd met me terug naar de stad verhuizen', bracht
ik fijntjes in.
Mams reageerde er niet op.
'Kom, we gaan iets eten.'
Ik twijfelde nog steeds of ik genoeg honger had om in dat
krot te gaan dineren, maar dat zei ik niet tegen mams. Ik
had geen zin meer in ruzie.

•

Het vreselijkste aan taverne restaurant De Hor was niet dat
het onderdak vond in een vies, krakkemikkig gebouwtje
waar de spinnenwebben welig tierden, nee, het afschuwe-
lijkste was zonder twijfel het eten. Het was echt niet te vre-

ten. En ik mag dan al hoge eisen stellen, mams kon niet anders dan het beamen. We hadden allebei een stoofpotje met friet besteld. Het was alsof het stoofpotje was bereid met suiker in plaats van met zout. Ook de mayonaise en frieten hadden een zoetige smaak. Mams at met tegenzin de helft van haar portie op, maar ik hield het bij één hap. Ik stilde mijn honger een beetje met een citroenlimonade.

Ik stelde voor om de dienster op het matje te roepen, maar mams vond dat niet nodig. Volgens mij durfde ze de serveerster of de kok niet terecht te wijzen. Als het aan mij had gelegen, had ik mijn geld teruggevraagd en was ergens anders gaan eten. De vraag was natuurlijk of er in dit gat nog een ander restaurant was. Het zou me verbaasd hebben.

Terwijl mams met lange tanden het gerecht naar binnenwerkte, bekeek ik de aanwezige personeelsleden en klanten. Ze zagen er allemaal even ouderwets en belachelijk uit. Ze droegen kleding die zelfs bij mijn geboorte niet meer in de mode was.

Toen ik er genoeg van had hen te bekijken, belde ik met mijn gsm naar mijn beste vriendin Dafne.

Ze nam meteen op.

'Dag… Ella…'

Aan die twee woorden hoorde ik meteen dat ze gespannen was, alsof ze meedeed aan een radioquiz.

'Hoi, Dafne. Is er iets?'

'Eigenlijk wel, toen ik mijn gsm hoorde afgaan, dacht ik even dat het Mike was.'

'Mike? Is het eindelijk aan tussen jou en hem.'

'Nog niet, maar Isabelle heeft tegen Felicia gezegd dat Carla verteld heeft dat ze Bert heeft horen fluisteren tegen Marleen dat Mike me vandaag zou bellen om het aan te vragen.'

'Over de telefoon? Romantisch!'

Ik had het ironisch bedoeld, maar Dafne dacht dat ik het meende.

'Ja, hè', bracht ze smachtend uit.

'Goed voor jou', zei ik.

En dat meende ik. Dafne wilde absoluut een liefje. Nu ik er niet meer was, verdiende ze iemand die mijn plaats innam om haar te beschermen. Ik mocht dan blij zijn voor haar, ik moet toegeven dat ik wel een heel klein beetje jaloers was op Mike.

'Hoe is het daar?' vroeg Dafne.

'Het lijkt of ze mij hebben teruggegooid in de tijd. Voor of na de middeleeuwen, daar ben ik nog niet uit.'

'Niet goed dus hè?'

'Dat je het maar weet!'

'Ik zal aan je denken', zei Dafne.

'Denk jij nou maar aan wat je tegen Mike gaat zeggen als hij belt.'

'Je moet mij niet zenuwachtiger maken dan ik al ben, hoor.'

'Zou ik nooit doen', grijnsde ik.

'Ooo, ik moet ophangen. Er komt een tweede lijn binnen.'

'Laten we hopen dat het Mike is.'

'Euhm… ja, ja…'

Ik kon haar bijna tot hier voelen trillen.

'Dag, Dafne.'

'Ja… dag hè, Ella.'

Glimlachend om het nerveuze gedoe van Dafne stak ik mijn gsm in mijn broekzak.

'Waarom lach je zo?' vroeg mams.

'Om niks', antwoordde ik kortaf.

Mams had er niets mee te maken wat ik aan mijn vrienden vertelde. Ze wist dat ik er zo over dacht en ging er niet verder op in.

Haar vork bleef in haar half leeg gegeten bord liggen.

'Ik stop ermee.'

Ik kon haar geen ongelijk geven.

'Zin in een dessert?' vroeg ze.

'Nee, merci.'

Mijn maag gromde, maar ik vertikte het om hier nog iets te bestellen.

'Je kan thuis een stuk taart eten.'

Bij het woord *thuis* dacht ik spontaan aan onze moderne villa in de stad, maar ik besefte maar al te goed dat *thuis* nu een geitenstal was. Bij het woord *taart* verscheen me het pafferige gezicht van onze nieuwe buurvrouw Linda voor ogen.

Terwijl mams de dienster betaalde, keek ik door het raam naar buiten. En daar stond hij. Aan de overkant van de straat. De in het zwart uitgedoste man met de muts en de sjaal, die ik ook had opgemerkt bij het binnenrijden van Horville. Een koude rilling liep over mijn rug.

Nadat de dienster zich van ons tafeltje had verwijderd, wilde ik mams attent maken op de man, maar hij was nergens meer te bespeuren. Als een spook, een schim, was hij verschenen en verdwenen. Ik zweeg erover tegen mams, maar een onaangenaam gevoel dat ik niet kon plaatsen, achtervolgde me nog enige tijd.

Dat een plattelandsstadje anders was dan de stad had ik wel verwacht, maar toch was het hier heel *anders* dan ik me had kunnen inbeelden. In Horville hing een akelige sfeer. Ik kon niet precies benoemen wat er zo beangstigend was, maar ik voelde het met elk zintuig.

•

Na ons "gezellig" samenzijn in het restaurant, gingen we lopend naar het kleine stadswinkeltje. Ik hoopte dat ik daar wel iets naar mijn gading zou vinden, maar ik had het mis. Er lag in de rekken niets dat er ook maar enigszins smakelijk uitzag. Geen enkel product bevatte zout. Mams vond het ook maar vreemd en vroeg aan een oud vrouwtje, dat moeizaam een winkelkarretje voor zich uitduwde, waar de normale producten stonden.

'Normale producten?' vroeg het vrouwtje gniffelend.

'Met zout', verduidelijkte ik.

Ze keek me niet-begrijpend aan.

'Met zout?'

Welk deel van *met zout* begreep ze niet?

'Ja, met zout.'

Ze begon nog ergerlijker te gniffelen.

'In Horville leven we gezond, juffrouw. We bereiden hier niets met zout.'

Ze keek mams schuin aan. *Je moet je kind gezonder opvoeden, dame, en niet altijd gezouten voedsel voorschotelen,* vertelde haar blik.

'Er moet toch iets mét zout zijn!' drong ik aan.

'Ik denk het niet, meisje.'

Dit was te gek om los te lopen!

'Dank u', zei mams, hoewel ik niet begreep waarvoor ze de oude vrouw moest bedanken.

Het mens keek ons nog een laatste keer gniffelend aan en zette haar winkelactiviteiten voort.

'Wat nu?' vroeg ik.

Mams haalde haar schouders op. Ze wist het ook niet.

Ik wees naar een etiket waarop stond "ongezouten brood". Ook dat nog!

'Misschien kunnen we in een naburig stadje of dorpje eten gaan halen?' stelde ik voor.

'Geen slecht idee, maar Herevenegem is het meest nabijgelegen plaatsje en dat is vijfenveertig minuten rijden. Onze tocht door de sneeuw is lang genoeg geweest.'

Mams gooide een ongezouten bruin brood in haar mandje. Ik hield het bij zoetige dingen: chocoladewafels, snoeprepen, koekjes en lolly's.

'Op snoep alleen kan je niet overleven', zei mams.

'Ik zal wel moeten.'

Mams was in een bepaald rek wel heel erg lang aan het speuren.

'Wat zoek je?' vroeg ik.

'Een pak zout. Dan kunnen we alles zelf op smaak brengen.'

Slim gezien van haar.

Ik klampte een dwaas uitziend winkelhulpje aan en vroeg haar waar het zout stond. Met haar wijsvinger schoof ze haar jarenzeventigbrilletje op de brug van haar neus.

'Zout? Dat verkopen we hier niet. Dat is niet gezond.'

'Ze zijn hier gek, mams', zei ik waar het meisje bijstond.

Het winkelhulpje keek me beteuterd aan, alsof ik haar persoonlijk had beledigd. Het huilen stond haar nader dan het lachen toen ze ervandoor ging.

'We kopen wel ergens anders zout', besloot mams.

Plotseling dook het oude vrouwtje met het winkelkarretje voor ons op. Ze reed ons bijna van de sokken. Ik schrok me een bult.

'Je mag nergens anders zout kopen!' riep de oude vrouw.

'Waarom niet?' vroeg mams.

'Zout is niet alleen ongezond, het is hier ook verboden.'

'Verboden? Wat voor een bullshit is dat nu!'

Oeps. Voor ik het besefte had ik het woord *bullshit* hardop uitgesproken. Mams reageerde er niet op.

'Dat is geen larie en apekool, meisje, het is gewoon zo',

sprak het oude vrouwtje me tegen, waarna ze haar karretje krampachtig in een andere richting duwde.

'Ik wist niet dat er nog zulke achterlijke plekken bestonden', wierp ik op. 'We gaan ons toch niet houden aan dat zoutloze gedoe, hè?'

'Lijkt me niet', zei mams. 'Ik ga binnenkort in Herevenegem wel een paar pakken zout kopen. Ik kan mij trouwens niet voorstellen dat niemand hier zout eet. Waarschijnlijk zijn het allemaal stiekemerds die zogezegd gezond willen leven maar op andere plaatsen hun zout gaan kopen.'

Blij dat mams er zo over dacht, want een ongezouten bestaan was uitgesloten voor mij. Storm zou waarschijnlijk in zijn vuistje - nou ja, pootje - lachen wanneer hij vernam dat zijn baasje het nu net zoals hij zonder zout moest stellen.

Toen we uit het winkeltje kwamen, ving ik een glimp op van de man in het zwart. Hij stond aan de overkant van de straat, half weggedoken achter een lantaarnpaal. Mijn hart sloeg een slag over. Toen hij merkte dat ik hem in de gaten kreeg, sprong hij over een haag.

'Kijk, mams', riep ik.

Ik wees naar de overkant van de straat, maar mams was net te laat om hem te zien wegduiken.

'Wat?'

'Er stond daar een man. Met een zwarte muts en een zwarte sjaal. Hij is over de heg gesprongen. Ik denk dat hij ons volgt.'

Mams keek me met gefronste wenkbrauwen aan.

'Waarom zou iemand ons volgen?'

Ik haalde mijn schouders op. Ik had er geen flauw idee van. In een klein stadje als dit was de misdaad minstens honderd procent lager dan in de stad. Saai maar veilig. Hoewel, veilig, zo voelde ik me zeker niet. Ik was ervan overtuigd

dat de man iets van ons wilde. De vraag was alleen wat.
'Als je die man nog eens ziet, moet je het onmiddellijk zeg-
gen', liet mams me beloven.
Hoewel ze de kerel zelf niet had gezien, leek ze toch wel een
beetje bezorgd.
'Tuurlijk', verzekerde ik haar.
Ik was er van overtuigd dat hij nog zou opduiken. Een lichte
nervositeit kriebelde net onder mijn vel.

[3] **Horville of Horrorville?**

Ook de snoep smaakte niet zoals het hoorde. Hoewel snoepgoed een flinke dosis suiker bevat, zit er meestal ook wat zout in. Maar niet in deze snoep. Uit pure wanhoop waagde ik me aan de taart van buurvrouw Linda. Die was verrassend lekker, al viel ook hier meteen het gebrek aan zout op.

Calorieën had ik ondertussen voldoende binnen, maar de voedingswaarde van al die rommel was nul. Ik graaide een paar chips uit de maxizak die ik in de auto had openge-scheurd en propte ze in mijn mond. Ondanks de hoge dosis zout smaakten de chips me niet. Ik had een evenwichtige maaltijd nodig.

Ik werd misselijk en had behoefte aan een beetje frisse bui-tenlucht. Dat had niet alleen te maken met mijn te hoge suikerspiegel maar ook met mijn veel te kleine slaapkamer die me engtevrees bezorgde. Urenlang had ik geprobeerd om alle meubilair uit mijn vorige slaapkamer in dit nieuwe slaapkamerhok te proppen. Dat was me uiteindelijk gelukt, maar ik voelde me als een insect in een luciferdoosje. Ik was al verschillende keren ergens tegenaan gelopen en zou binnenkort meer blauwe plekken dan sproeten hebben. En neem het van me aan, ik heb heel wat sproeten!

In mijn dikke winterjas liep ik de tuin in. Het sneeuwde niet meer, maar de ijzige wind sneed in mijn gezicht. Daar maalde ik niet om. Het deed me goed om de mufheid van mijn slaapkamer te ontvluchten.

Ik beende naar het bankje in het achtertuintje en het dikke sneeuwtapijt kermde onder mijn schoenzolen. Mijn hand tintelde van de kou toen ik de sneeuw van het bankje veegde. Met mijn zakdoek maakte ik het laatste stukje ijsvrij, waarna ik ging zitten.

Ik diepte mijn gsm uit mijn broekzak en belde naar Dafne, maar kreeg haar voicemail te horen. Ik sprak geen boodschap in, maar borg de gsm weer op. Het was zaterdagavond. Dafne was waarschijnlijk leuke dingen aan het doen met enkele vriendinnen, of misschien wel met Mike. Ach, was ik maar bij mijn vriendin.

Mijn ogen dwaalden over het sneeuwtapijt en merkten daarbij Kika op. Mijn buurmeisje zat op de drempel van de achterdeur van hun huis afwezig voor zich uit te staren.

Ik kreeg zin om de woede die sinds de verhuis in me rondwaarde op haar af te reageren. Ze was het perfecte slachtoffer op de perfecte plaats en op het perfecte tijdstip. Op dit ogenblik kon niets me meer opbeuren dan iemand anders het leven zuur te maken.

'Héla!' brulde ik naar haar alsof ze een hond was.

Hoewel ze maar zo'n tien meter van me af zat, keek ze niet op. Daarom schreeuwde ik wat harder.

'Héla, ik heb het tegen jou hoor!'

Kika keek nu wel mijn richting uit, maar durfde niet in mijn ogen te blikken. Onderdanig tuurde ze naar mijn schoenen.

'Jij woont hier echt wel in een boerengat, hè?'

Ze knikte alleen maar.

'Woon jij hier al heel je leven?'

Opnieuw een nauwelijks merkbare hoofdknik.

'Kan je niet praten of zo?'

'Euh… jawel hoor.'

'Wie koopt jouw kleding?' vroeg ik.

'Euh… mijn moeder.'

'Je ziet eruit als een boerentrien!'

'Sorry', excuseerde ze zich.

Was dat mens dan echt niet op de kast te krijgen?

'Ik heb net die taart van jouw moeder in de vuilnisbak gekieperd. Wat een rotzooi zeg!'

'Oei. Ik zal het haar zeggen.'

'Doe dat nou maar vooral niet.'

Een ogenblik wist ik niet hoe ik nog in de aanval kon gaan. Ik zweeg even om nieuwe munitie te laden. Hopelijk deze keer geen losse flodders.

'Waar komt jouw naam eigenlijk vandaan?' vroeg ik.

'Euh… ik weet het niet.'

'Kika. Pfff. Het lijkt wel de naam van een stripfiguur.'

Kika keek mij nu voor het eerst recht in de ogen. Even dacht ik dat ik een gevoelige snaar had geraakt, maar dat bleek niet het geval.

'Vind ik ook. Iedereen pest mij met mijn naam. Eigenlijk pesten mijn leeftijdsgenoten me altijd. Niemand wil mijn vriend zijn op school.'

Het was verdomd moeilijk om dit meisje aan te vallen. Ze was zo zielig dat zelfs ik er bijna medelijden mee kreeg.

'Wat doe je eigenlijk in het weekend?' vroeg ik. 'Bij ons in de stad gaan we meestal naar de gokhal, maar zoiets is hier waarschijnlijk niet eens.'

'Gokhal?' vroeg ze.

Wist ze echt niet wat een gokhal was, of nam ze me in het ootje?

'Waar computer- en andere spelletjes staan', verduidelijkte ik.

Ondanks de afstand zag ik aan haar blik dat ze geen idee had waarover ik sprak.

'Ik ben maar een boerentrien', jammerde ze. 'Ik weet niets af van het leven. Ik help ma met de beesten, met schoonmaken en met het werk op het land.'

'Word je dat niet beu?'

'En of! Wat zou ik graag eens naar een grote stad gaan. Lijkt me geweldig.'

'Ben je nog nooit in een grote stad geweest?'

Ze schudde haar hoofd.

'Nee, zelfs niet in een ander klein stadje of een dorpje.'

'Ga je dan nooit op reis met je ouders?'

'We kunnen de beesten niet alleen laten. Iemand moet toch voor hen zorgen.'

'Kika!!!'

'Ma roept. Ik moet naar binnen.'

Wat liep die hard voor haar moeder zeg. Ze leek wel een slaafje.

Voor Kika de deur openduwde, bleef ze even staan.

'Ik vind je leuk, Ella. Jij bent heel anders dan al de anderen in Horville. Jij weet tenminste waarover je praat.'

Ze stapte naar binnen.

Niet te geloven. Ik had dat meisje zowat met de grond gelijk gemaakt en nu gaf ze me een complimentje. Geen touw aan vast te knopen. Misschien was het een tactiek om eindelijk een vriendin te maken. Nou, dat kon ze dan wel vergeten. Ik zou nooit ofte nimmer bevriend raken met een boerentrien. Toch kon ik niet ontkennen dat ze me op een positieve manier had verbaasd. Ze was er zich van bewust wat voor een achterlijk stadje dit was en dat was alvast een pluspunt. Voor de tweede keer die avond probeerde ik Dafne te bereiken. Deze keer nam ze wel op.

'Hoi, Ella.'

'Dafne, alles kits?'

'Ja, hoor. Ik ben op het verjaardagsfeestje van Annabel. We gaan net frietjes eten. Vind je het erg als ik je vanavond of morgenochtend terugbel?'

'Tuurlijk niet', loog ik. 'Tot dan.'

Ik had er alles voor gegeven om op dit moment samen met Dafne op het verjaardagsfeestje te zitten, ook al was Annabel een vervelende trut die ik niet kon uitstaan.

•

De ijzige kou dreef me het huis weer in. Ik ging niet naast mams op de bank zitten, omdat ik besefte dat het zou uitmonden in ruzie. Eerst zou ik voortdurend commentaar geven op de soapserie waarnaar ze keek om daarna weer beginnen te zeuren over de verhuizing. Dat was allemaal de schuld van Kika! Was die wat meer getroffen geweest door mijn opmerkingen, dan was ik deels van mijn woede verlost.

Omdat ik een partijtje kibbelen met mams niet zag zitten, sjokte ik naar mijn piepkleine kamer. Ik wurmde me door de deuropening en vloekte luid toen ik mijn knie tegen de kleerkast stootte. Blauwe plek nummer zeven. Of was het acht? Ik raakte stilaan de tel kwijt.

Wat zou ik doen? Lezen? Muziek beluisteren? Een computerspelletje spelen? Het meeste zin had ik om wat berichtjes te mailen, maar er was niemand die me op zaterdagavond een antwoord zou terugsturen.

Terwijl ik een bibberboek uit het boekenrek haalde, viel mijn blik door het raam op de buurvrouw die links naast ons woonde. Vanaf mijn kamer had ik prima uitzicht op haar achtertuintje. Het oude vrouwtje, dat om en nabij de zeventig jaar moest zijn, hurkte neer in haar besneeuwde bloemenperkje, en boog voorover. Eerst dacht ik dat ze de geur van de sneeuwklokjes aan het opsnuiven was, maar toen ik beter keek, stelde ik vast dat ze haar gezicht in de sneeuw drukte. Ze maakte daarbij draaiende hoofdbewegingen.

Was ze sneeuw aan het eten? Daar leek het in elk geval op. Mijn nekhaartjes gingen overeind staan toen ik dacht aan de koude sneeuw die op haar tong smolt. Jezus, wat een vreemd mens!

Mijn aandacht werd afgeleid toen ik beweging zag in het smalle zijpaadje dat ons huis van dat van de oude buurvrouw scheidde. Een donkere schaduw dook op vanachter een heg. De man in het zwart! Dat was nu al de vierde keer dat ik hem zag. Hij tuurde naar mijn slaapkamerraam. Ik dook weg voor hij me in de gaten kreeg, maar stootte daarbij mijn scheenbeen tegen de zijkant van mijn bed. Nadat ik het had uitgezongen van de pijn, vroeg ik me af wat de man van me wilde, want het was overduidelijk dat hij wel degelijk iets wilde. De beste manier om dat te achterhalen was om het hem op de man af te vragen! Mams had me wel gevraagd om haar te waarschuwen als de kerel opnieuw opdook, maar ach, dit was niet de eerste keer dat ik mams' raad in de wind sloeg. Hoe kon je ooit volwassen worden als je altijd naar je ouders luisterde? *Groot worden kun je alleen maar met vallen en opstaan,* had mams me onlangs nog zelf gezegd.

Ik griste mijn jas van de kapstok en liep de treden af.

'Waar ga je naartoe, Ella?' vroeg mams vanaf de bank.

'Gewoon, wat wandelen.'

Zonder op goedkeuring te wachten, liep ik de voortuin in.

30

Hoewel ik mijzelf stoer voelde dat ik dit durfde, voelde ik mijn hart kloppen tot in mijn keel. Wat kon ik tegen de man beginnen als hij mij plotseling zou aanvallen? Wat als het een gek was die me wilde vermoorden? Ondanks deze gedachten, ging ik niet meteen weer naar binnen.

Als ik het straatje inliep, zou de kerel in het zwart me meteen zien. Ik sloeg het weggetje aan de andere kant in, zodat ik hem in de rug kon naderen, maar de man was verdwenen. Ik wilde hardop vloeken, maar de verwensing bleef achterin mijn keel steken, toen ik ineens achter me sneeuw onder schoenzolen hoorde kraken. Als door een naald geprikt draaide ik me om, waarna ik roerloos en met ingehouden adem bleef staan.

De man in het zwart stond voor mij. Zijn gestalte was mager en gebogen als dat van een filmvampier en hij torende hoog boven mij uit. Zijn kraaloogjes, die tussen sjaal en skimuts zichtbaar waren, priemden dreigend naar me. Even meende ik dat hij echt een vampier was en dat hij zich naar me toe boog om zijn twee scherpe hoektanden in mijn nek te planten, maar in plaats van me aan te vallen, fluisterde hij me iets toe.

'Ik... ik... ik... kom je waarschuwen.'

Zijn stem klonk helemaal niet zo koel en angstaanjagend als ik had verwacht. Hij sprak aarzelend, angstig zelfs. En nu ik beter in zijn ogen keek, zag ik dat die me helemaal niet dreigend aanstaarden, maar eerder nerveus, onzeker.

'Je moet weg uit Horville, Ella. Je loopt hier gevaar. Ze willen je...'

Plotseling zweeg hij en blikte hij angstig om zich heen, waarna hij er als een hazewind vandoor ging.

Ik wist niet goed wat ik ervan moest denken. Door zijn onzekere houding leek hij alvast geen moordenaar. Het meest voor de hand liggende was dat hij één of andere idioot was. Maar die uitleg kon me ook niet helemaal overtuigen. Er was iets aan hem dat mij de stuipen op het lijf joeg. Het was niet zozeer zijn houding, maar eerder de angst die hem in de greep hield. Hoewel ik niet vlug bang was, had hij die angst op mij overgebracht, zodat ik nu trilde als een espenblad, zonder te weten waarom. Ik vroeg me ook af hoe hij mijn naam wist en waarvoor hij me wilde waarschuwen.

Ik was nog zo onder de indruk van de ontmoeting dat ik niet had gemerkt dat er een man naast me was komen staan. Het was een deftig en zwaarlijvig - zeg maar papperig - heerschap, gekleed in een grijs maatpak.

'Jij moet het nieuwe meisje zijn', zei hij.

'Ik ben niet nieuw, maar ik ben hier wel pas komen wonen.' Het verbaasde me dat ik ondanks de angst in staat was dit grapje te maken. De man lachte, al voelde ik aan dat het niet gemeend was.

'Ik ben de burgemeester.'

Hij stak zijn dikke hand uit en met enige tegenzin schudde ik die. Zijn vingers voelden klef aan.

'Ik ben Ella.'

'Dat weet ik. Ik ken de namen van al mijn inwoners.'

'Nou ja, zoveel zijn dat er niet', liet ik me ontvallen.

Hij grijnsde, maar in zijn ogen zag ik opnieuw dat hij mijn humor niet echt kon waarderen.

'Is je moeder thuis?' vroeg hij.

'Yep.'

'Goed zo, ik zou haar even willen spreken.'

'Ik vraag haar wel even of ze jou ook wil spreken.'

Ik liep van hem weg en liet hem achter in de vrieskou.

'Mams, de burgemeester staat buiten. Mag ik hem binnenlaten?' vroeg ik toen ik onze *cottage* binnenstapte.

Mams veerde overeind alsof ik had gezegd dat er iemand van het Koninklijk Huis aan de deur stond. Nou ja, hier in Horville was dat waarschijnlijk bijna hetzelfde.

'Tuurlijk!'

Ik opende de voordeur en grijnsde voldaan naar de burgemeester, die ondertussen op de drempel had postgevat.

'Mams kan je ontvangen.'

Wat had ik er plezier in die bekakte kwibus op deze manier te behandelen. Ik lette er ook op dat ik hem niet met 'u' maar met 'je' aansprak. Dat zouden niet veel anderen aandurven.

'Het spijt me, meneer de burgemeester, maar mijn dochter...'

'U hoeft zich niet te verontschuldigen mevrouw, we zijn allemaal eens jong geweest, nietwaar?' lachte hij schamper. Terwijl hij dat zei, kreeg ik het beeld voor ogen van een dik jongetje dat door iedereen gepest wordt en ooit besluit wraak te nemen door een belangrijke functie in de maatschappij uit te oefenen. Als burgemeester of zo.

'Gaat u zitten, meneer de burgemeester. Wilt u iets drinken?'

'Dank u, maar ik moet meteen weer weg. De agenda van een burgemeester is altijd druk bezet, nietwaar?'

De opschepper! Vanaf het eerste moment had ik een afkeer van hem en die groeide met de seconde.

'Mevrouw, ik kom u en uw dochter uitnodigen voor het feest morgenavond.'

'Feest?' vroegen mams en ik in koor.

'Onze nieuwe inwoners leggen wij in de watten. In de raadzaal van het stadhuis zullen wij u plechtig welkom heten met een toespraakje mijnerzijds en een hapje en een drankje. Daarna is er een feestje in de parochiezaal op het stadspleintje.'

'Fantastisch', bracht mams uit.

Fantastisch was niet het juiste woord. *Vreemd* leek me meer toepasselijk. Welke burgemeester maakte nu zoveel poeha rond de komst van twee nieuwe inwoners?

'Ik hoop van harte dat u allebei aanwezig zal zijn, ik dring er zelfs sterk op aan', zei de burgemeester, terwijl hij ook mij even recht in de ogen keek. 'Om achttien uur verwacht ik jullie in de raadzaal.'

'We zullen er zijn', beloofde mams.

Nadat de burgemeester met evenveel sterallures als hij was binnengekomen de plaat had gepoetst, schreeuwde ik tegen mams: 'We? Ik ga niet mee naar dat onnozele gedoe, hoor!'

'Je gaat wel mee, Ella. En ik duld geen tegenspraak!'

'Dat zullen we dan nog wel eens zien!'

'Een internetabonnement is vlug afgezegd!'

Ik gooide mijn armen in de lucht. Tegen zo'n dreigement kon ik niet op.

'Maar verwacht niet dat ik vriendelijk zal zijn!' brulde ik, waarna ik de trap op draafde, mijn kamer binnenstormde en mijn heup tegen mijn bureau stootte.

De vloek die van tussen mijn lippen ontsnapte, herhaal ik liever niet.

•

Ik tuurde uit mijn slaapkamerraam, maar kon de man in het zwart nergens meer ontwaren. Misschien zat hij ergens verborgen, maar door de invallende duisternis kon ik me daar niet van vergewissen. Hij bleef in elk geval wel rondzwerven in een donkere uithoek van mijn gedachten.

Het sneeuwtapijt, dat heel Horville bedekte, weerkaatste het vale maanlicht. Ik vroeg me af waarom de sneeuw nog

steeds niet was geruimd. Zelfs de hoofdweg was nog onder-
gesneeuwd. En het was nu toch al een paar uur droog.

Een auto reed voorzichtig in de eerder gemaakte banden-
sporen, schoof weg en belandde bijna in de sloot. Net op
tijd kon hij bijsturen om zijn weg te vervolgen.

Misschien hadden ze in Horville niet eens een sneeuwruimer en was het wachten tot de dooi intrad. Mijn zorg
was het niet. De burgemeester moest maar instaan voor de
gevolgen van een eventueel ongeluk.

Storm draafde rond in zijn loopradje alsof zijn leven ervan
afhing. Dat was helemaal niet zijn gewoonte.

'Jij vindt het hier ook niet leuk hè?'

Mijn hamster kon niet antwoorden, maar door zijn manier
van doen wist ik dat ook hij zich niet in zijn sas voelde.

'Wil je een koekje hebben?' vroeg ik. 'Gemaakt op jouw
maat: zonder zout!'

Ik nam een pakje met chocoladekoekjes van mijn bureau,
haalde er ééntje uit en stak het tussen de tralies.

Storm hield op met lopen en begon smakelijk op de lekker-
nij te knabbelen. Suiker was net zoals zout niet echt goed
voor hem, maar de kleine rakker mocht ook wel eens van
het leven genieten.

'In welk gat zijn we toch terechtgekomen, Storm', zuchtte
ik, terwijl ik naar buiten staarde. 'Ik heb nog nooit gehoord
van een plaats waar zout verboden is. En wat is het toch
met die vreemde man? Wat wilde hij me zeggen? En een
burgemeester die al zijn nieuwe inwoners apart ontvangt,
heb je daar ooit van gehoord? Nou, ik ook niet, Storm.'

Terwijl ik het zo hardop zei, vond ik het nog vreemder klinken dan in mijn hoofd. Het waren misschien allemaal op
het eerste gezicht kleine dingetjes, maar ik voelde dat er
meer aan de hand was.

Ik kon er niet verder over nadenken, want ik werd afgeleid door een beweging in de tuin van onze oude buurvrouw. Ik kon haast niet geloven wat ik zag. Het mens stond poedelnaakt in het midden van haar tuin! De kou leek haar niet te deren, want ze ging plat op haar buik in de sneeuw liggen en begon te kronkelen alsof ze in vervoering raakte. Waarom was ze in verrukking? Het was niet zo dat er één of andere man onder haar lag waarmee ze rollebolde. Er was alleen maar sneeuw.

Wat ik vervolgens zag, deed mijn maag omkeren. De oude vrouw begroef haar hand in de sneeuw en haalde er een dikke vette aardworm uit, die glansde in het maanlicht. Ze propte de glibberige pier in haar mond, terwijl ze in verrukking op het sneeuwtapijt kronkelde. Mijn buurvrouw was knettergek!

Of was er meer aan de hand? Hadden al die aparte voorvallen iets met elkaar te maken? Ik had het gevoel van wel, maar had er geen idee van wàt.

Dit plaatsje hadden ze niet Horville moeten dopen, maar *Horror*ville!

[4] Plechtigheid of ritueel?

De hele zondagochtend hing ik met Dafne aan de lijn. Ik had het vooral over de vreemde dingen die ik had gezien, maar mijn vriendin lachte het allemaal weg. Het leek wel alsof ze dacht dat ik de gebeurtenissen aandikte om indruk op haar te maken, wat helemaal niet het geval was. Door te vertellen wat ik had meegemaakt, hoopte ik dat knagende gevoel in mijn maag kwijt te raken, maar het ging niet weg. Het was alsof spookhanden mijn ingewanden kneedden; een beklemmende angst die ik nog nooit eerder had gevoeld.
Hoewel we nog lang niet klaar waren met kletsen, moesten we om half twaalf ons gesprek staken. Ons belkrediet was op. Aan mams' oren zagen voor een nieuwe gsm-kaart was zinloos. Ik kreeg per maand twintig euro beltijd en daarmee moest ik het redden. Ach, morgen was het de eerste dag van een nieuwe maand, dus dat viel nog mee.
Dafne en ik wilden ons gesprek voortzetten via mail, maar ik raakte niet ingelogd. Met mijn allerlaatste eurocenten belkrediet liet ik mijn beste vriendin weten dat mijn e-mail niet werkte.
En daar zat ik dan. Alleen in mijn kleine kamertje. Nou ja, Storm was er ook, maar dat was nou niet meteen de boeiendste gesprekspartner. Ik begon te beseffen wat je met je vrije tijd deed in een gat als Horville: je morsdood vervelen!

Hoewel ik nog steeds angstig was, ging ik toch buiten een frisse neus halen. Ik was niet iemand die me gemakkelijk uit mijn lood liet slaan.

'Om half één eten we', deelde mams mee vanachter haar kruiswoordpuzzel toen ik langs de woonkamer liep.

Buiten was geen verse sneeuw gevallen en de nachtelijke vrieskou had de bovenste sneeuwlaag bevroren, waardoor het leek alsof ik over een gladde, rotsige bodem liep.

Kika en haar ouders kruisten mijn pad in de hoofdstraat. Ze waren verbazingwekkend deftig – maar nog steeds ouderwets – gekleed. Wat me meteen opviel was de schijnbaar haastig aangebrachte zwarte ster op hun voorhoofd.

'O, Ella, dag meisje', bracht de buurvrouw veel te hartelijk uit.

Haar echtgenoot lachte alleen maar. Hij probeerde dat te doen op een vriendelijke manier, maar het leek wel alsof hij met een verstopping zat. Voor Kika me goedendag kon wensen, informeerde ik naar de ster.

'Wat is dat ding op je voorhoofd?'

Kika keek haar ouders ongemakkelijk aan, alsof ze hen toestemming moest vragen om me te antwoorden. Na een kort hoofdknikje van haar moeder gaf ze antwoord.

'Een ster.'

'Dat zie ik ook wel. Waarvoor dient die?'

'De pastoor tekent die met as op ons voorhoofd.'

'Maar het is toch geen Aswoensdag! En waarom een ster in plaats van een kruis?'

'Voor elk belangrijk spiritueel feest dient de pastoor ons de assenster toe', kwam haar moeder tussenbeide.

'En welk feest is er nu in aantocht?' vroeg ik me hardop af.

'Het feest van de schenking.'

'Het feest van de schenking? Nog nooit van gehoord.'

'Ik geloof niet dat jij veel naar de kerk gaat, hè meisje?'

Wat kreeg ik het op de zenuwen van dat mens. Waarom stak ze haar neus niet in haar eigen zaken?!

'Ik vind de kerk stom!' beet ik haar toe.

Een ouderwetse boerin kon me heus niet uit mijn lood slaan. In de ogen van Kika zag ik verwondering maar ook wel bewondering omdat ik tegen haar moeder durfde ingaan.

'Je moeder moet je dringend eens opvoeden!' sneerde Kika's moeder.

'Dat heb ik haar ook al zo dikwijls gezegd, maar het baat niet.'

Met haar mond vol tanden liet ik haar staan. Zonder het drietal nog een blik waardig te gunnen, schaatste ik verder over het ijs. Daar ging mijn goede naam in Horville! Maar dat kon me geen barst schelen!

Ik keek vluchtig over mijn schouder en zag mijn buren nog enkele woorden wisselen, waarna ze voorzichtig richting huis skieden. In die korte oogopslag zag ik onze andere buurvrouw in haar tuin staan. Ook zij was naar de mis-viering geweest, want op haar voorhoofd prijkte een mis-vormde vijfpuntige ster van as. Het oude mens tuurde naar de lichtblauwe hemel alsof ze op vallende duiven wachtte.

Zodra Kika en haar ouders binnen waren, keerde ik op mijn stappen terug en beende naar onze oude buurvrouw. Ik sloeg het smalle weggetje in dat ons huis van dat van haar scheidde en leunde tegen haar haag. Ik deed mij heel wat stoerder voor dan ik was, want het gebonk van mijn hart deed zelfs mijn wenkbrauwen trillen. Toch wilde ik haar vragen waarmee ze gisteren was bezig geweest. Ik hoopte dat ze een aannemelijke en onschuldige uitleg klaar had.

Het vrouwtje was zo druk in de weer met het staren naar de blauwe hemel dat ze me niet zag naderen. Ze stak haar armen de hoogte in en draaide haar handpalmen naar het kille waterzonnetje dat aan de hemel stond. Vervolgens raakten haar twee wijsvingers en duimen elkaar aan waardoor die een oog vormden, terwijl haar andere vingers zich tegen haar handpalmen krulden. Door de gevormde opening gaapte ze naar de zon en begon zachtjes te murmelen. Ik volgde haar blik, maar het enige wat ik zag was een flets zonnetje in een helblauwe lucht.

'Wat ben je aan het doen?' vroeg ik.

Het oude mens schrok zich een bult en deinsde een paar stappen achteruit.

'Je maakt me aan het schrikken, meisje', deelde ze overbodig mee.

'Waarom maakt u die bewegingen?'

'Mediteren noemen ze dat, meisje.'

Ze zei het niet onvriendelijk, maar uit haar toon kon ik opmaken dat ze vond dat ik er niets mee te maken had.

'Waarom mediteert u?'

'Om tot rust te komen.'

Ik aarzelde geen ogenblik om de volgende vraag te stellen.

'Was dat ook wat u gisterenavond aan het doen was? Tot rust komen?'

Haar ogen gingen wijdopen en ze zette nog een stap achteruit.

'Waar heb je het over?'

'Waarom rolde u gisteren rond in de sneeuw?'

Ze opende haar mond en even leek het alsof ze me een antwoord zou geven, maar ze deinsde nog wat verder achteruit, waarna ze haar handen omhoog gooide en een glimlach op haar lippen probeerde te toveren.

'Waarom zou een oude vrouw als ik in de sneeuw liggen, meisje? Je moet gedroomd hebben.'

'O nee, ik heb niet gedroomd, mevrouw, ik...'

'Het is tijd om een potje te koken', onderbrak ze me, waarna ze door haar besneeuwde tuintje naar haar huisje slofte.

Pas toen ze op de drempel van de voordeur stapte, merkte ik dat ze op blote voeten liep.

Ik wilde graag geloven dat ze gek was en dat ze zich daarom zo gedroeg, maar er was meer aan de hand. Dat voelde ik.

Ik ging ervandoor en doorkruiste Horville. Tijdens mijn wandeltocht door het stadje bleek Horville nog kleiner dan ik had gedacht. Na twintig minuten had je alles wel gezien. Er was ook geen moer te beleven. Geen deftig restaurant, geen bioscoop en geen speelplein. Helemaal niets dat voor enige ontspanning kon zorgen. *Waarschijnlijk is het toppunt van ontspanning in Horville naakt in de sneeuw liggen*, bedacht ik.

Aangezien ik van plan was één van de komende dagen mijn haar te laten knippen, ging ik ook op zoek naar een kapperszaak. Toen ik die niet onmiddellijk vond, klampte ik een jonge kerel aan en vroeg hem waar de kapperszaak was. De kerel vertelde me dat er hier in Horville helemaal geen kapper was. Ik haalde mijn schouders op en vervolgde mijn weg. Ik had het kunnen denken dat iedereen hier in Horville zijn haar door zijn moeder liet knippen.

In heel het stadje hing een onheilspellende sfeer. Ik kon het niet echt beschrijven, maar het voelde er niet aan zoals het moest. Als ik om me heen keek, leek het alsof de dieren bang waren. Ze keken schuw om zich heen, alsof ze elk ogenblik konden worden opgepeuzeld door een plots opduikende vijand.

Vingers sloten zich plotseling als een klem om mijn pols en sleurden me het struikgewas in alsof ik een lappenpop was. Mijn hart beukte tegen mijn ribben en ik sloeg en schopte wild om me heen om mijn aanrander af te schudden.

'Auw!' riep hij toen ik mijn hiel liet kennismaken met zijn kin.

Hij duikelde achterover tegen een dikke boomstam en greep met beide handen naar zijn gezicht. Ik wilde van de situatie gebruik maken om te vluchten, maar bleef staan omdat ik vaststelde dat het om de kerel in het zwart ging.

'Wat wil je toch van me?' schreeuwde ik.

Mijn spieren trilden van de spanning, mijn geopende mond hapte koude lucht naar binnen. Het leek wel of ik had deelgenomen aan de honderd meter sprint.

'Je moet naar me luisteren!' smeekte hij. 'Ik heb niet veel tijd. Ze zijn me op het spoor! Ze weten dat ik je benaderd heb. Je moet hier weg, Ella! Ze willen je doden!'

Ik bleef ter plekke op mijn bevende benen staan en wilde de kerel verder uithoren, toen hij een schichtige blik achterom wierp.

'Oh, mijn God, *het* is daar!' pufte hij, zijn gezicht getekend door doodsangst.

'Verlaat Horville!' verzocht hij met een zinderde stem van angst, waarna hij er als een haas vandoor ging.

Ik ving geen blik op van zijn zogezegde achtervolger. Er was helemaal niemand. Ik wilde heel graag geloven dat hij net zoals onze oude buurvrouw knettergek was, maar daarvan was ik niet overtuigd. Waarom hield hij me in het oog? En waarom had hij *het* gezegd? Hij had niet gezegd *Hij is daar* of *Zij is daar*, maar wel *Het is daar!*

Toen ik uit de bosjes kroop, dreunde het themamuziekje van de *X-Men*-film uit mijn gsm. Ik zag op het display dat het paps was en zette het toestel tegen mijn oor.

'Dag, paps!'

'Ella, lieve schat!'

Door het horen van paps' stem gleed de verstikkende angst

als een deken van me af. Ik voelde me meteen ook stukken opgewekter en vrolijker dan de voorbije uren.

'Hoe is het daar in Horville?' vroeg hij.

'Niet al te goed. En zeg maar gerust *Horror*ville. Wat een vreemde mensen hier, niet te geloven!'

'Er gaat niets boven een grote stad', strooide paps zout in de wonde.

'Als je dat maar weet.'

Er viel een korte stilte, waarna paps het gesprek weer op het spoor bracht.

'Ligt er daar ook zoveel sneeuw? Hier moeten we van 's morgens tot 's avonds ruimen.'

'Ja, maar hier zou je niet veel werk hebben. Ze hebben hier denk ik niet eens een sneeuwruimer of strooiwagen. Ze doen zelfs niet de moeite om de hoofdstraat sneeuwvrij te maken.'

'O. Dan kom ik op mijn ronde wel even langs met de strooiwagen', grapte paps.

'Ja, doe dat. En strooi hier dan direct wat zout over het eten!'

'Hoe bedoel je?'

Ik gaf niet meteen antwoord, omdat ik door mijn eigen grapje plots tot het besef kwam dat beide dingen misschien wel verband met elkaar hielden. Misschien was het wel verboden om zout te strooien op de straten in Horville, net zoals het niet was toegestaan om zout te eten! Maar waarom?

'Ella? Ben je er nog?' vroeg paps.

'Ja, ja', zei ik peinzend.

'Wat is dat, over dat zout?'

'Nou, ze doen dat hier niet in hun eten', lichtte ik toe. 'Brood, vlees, koeken en snoep. Alles zonder zout!'

'Dat zal wel', bracht hij ongelovig uit.

'Kruis over mijn hart!' zei ik, waardoor hij wist dat het wel degelijk de waarheid was.

'Vreemd.'

Ik hoorde hem erover nadenken.

Door de gsm klonk ineens het gerinkel van een telefoon.

'Oei. Mijn baas. Ik bel je nog wel.'

'Goed. Tot gauw', zei ik.

Toen hij neerlegde, miste ik hem meteen. Ik wilde zo snel mogelijk bij hem zijn. Het zou een lange week worden. Ik keek nu al uit naar vrijdagavond.

•

Om zes uur 's avonds werden we in de raadzaal van het stadhuis plechtig ontvangen door de burgemeester en zijn vier schepenen. Ze stonden aan de toegangsdeur van de raadzaal en schudden alle genodigden uitgebreid de hand. Voor ons - de feestvarkens - trokken ze extra tijd uit. Omdat geen van hen goed wist wat te zeggen, kletsten ze wat over koetjes en kalfjes. Na een stijf praatje, dat veel te lang duurde, lieten ze ons de raadzaal binnen. Het was een enorme ruimte binnen het ook al reusachtige stadhuis. Van buitenaf leek het gebouw op een grote, vervallen boerderij, maar binnenin was het kraakhelder en superchique. De raadzaal leek wel de balzaal uit een sprookjesfilm. Het opvallendst waren de antieke kroonluchters die hun licht op de klassieke meubels wierpen. Met goud omrande spiegels hingen tegen de wanden en met rode stof beklede eikenhouten stoelen stonden her en der verspreid. In het midden van de raadzaal waren enkele lage houten tafeltjes opgesteld, waarop tinnen schoteltjes stonden waarin lekkernijen zoals zoete – uiteraard! – nootjes en pralines werden gepresenteerd.

Enkele diensters, uitgedost als pinguïns, serveerden bier, sinaasappelsap en limonade. Ik griste een limonade van het plateau en dronk er gulzig van, waarna ik een luide boer liet.

'Ella!' zei mijn moeder vermanend.

'Pardon', grijnsde ik, zonder ook maar enige verlegenheid te voelen.

Enkele mensen die in onze buurt stonden gaapten me aan vanwege mijn ongehoord gedrag. Ik trok me er niets van aan en had er zelfs wel een beetje plezier in.

Ik vroeg me af wie er allemaal uitgenodigd waren, maar het moest een hoop mensen zijn, want toen het moment van de toespraak was aangebroken en de burgemeester zich een weg naar het spreekgestoelte baande, zaten we als sardientjes tegen elkaar aangedrukt. Het sardientje naast me heette Kika. Ze vergezelde met duidelijke tegenzin haar moeder, die met mams aan het keuvelen was.

'Veel volk', zei ik om iets te zeggen.

'Iedereen in het stadje is uitgenodigd', wist Kika. 'En zo te zien is ook iedereen gekomen.'

'En dat alleen maar omdat mams en ik hier komen wonen?'

'Wees blij.'

Ik zou niet weten waarvoor ik blij moest zijn.

Hoewel dit toch wel een stijlvolle bedoening was, had geen enkele van de aanwezigen de assenster van zijn voorhoofd gewassen. Ook de burgemeester droeg de ster nog steeds.

Ik wees naar het symbool op het voorhoofd van Kika.

'Is iedereen hier gelovig?' vroeg ik.

Kika staarde me niet-begrijpend aan.

Ik wees in het rond.

'Iedereen draagt een ster', verduidelijkte ik.

Kika knikte.

'Voor zover ik weet gaan alle inwoners naar de kerk. Is dat anders in de stad?'

'En of', antwoordde ik. 'Maar waarom wassen jullie die ster er niet af?'

'Na een paar dagen gaat die er vanzelf wel af.'

'Wat betekent die ster eigenlijk?' vroeg ik.

Kika haalde de schouders op.

'Geen idee.'

'Je laat de pastoor een ster op je hoofd tekenen en je weet niet wat het betekent?' vroeg ik.

'Heb jij wel eens een kruisje laten zetten op Aswoensdag?' vroeg Kika.

'Tuurlijk.'

'En weet jij wat het betekent?'

'Ja. Het is vanwege euh… van Jezus, hè. Het heeft iets te maken met euh… de vasten en met euh… Pasen…. denk ik.'

Kika keek me veelbetekenend aan.

Ze had gelijk. Ik wist ook niet veel af van de betekenis van het assenkruis, al had ik het al meerdere keren op mijn voorhoofd laten zetten.

'Ik ben niet gelovig', wierp ik op.

'Ik moet wel gelovig zijn', zuchtte Kika, terwijl ze een veelbetekenende blik op haar moeder wierp.

Mams leek het zwarte symbool van as op de voorhoofden van de aanwezigen helemaal niet zo vreemd te vinden. Linda had haar er al over verteld en duidelijk gemaakt dat het zoiets was als een assenkruis, en het was tenslotte ook niet vreemd om dat aan te brengen. Ik probeerde mams te overtuigen dat het toch bizar was dat het om een ster ging in plaats van om een kruis. Ook daar had Linda het al over gehad. Ze had mams doen inzien dat een ster toch wel een belangrijk symbool is in het katholieke geloof, ze hoefde maar te denken aan de ster van Betlehem. Daardoor vond mams de assenster al vlug heel normaal. Het zou me zelfs niet verbaasd hebben, als ze bij het volgende spirituele feest zelf een ster op haar voorhoofd zou laten zetten.

Ineens klonk er een snerpend gepiep.

'Sorry, de micro staat wat luid', lachte de burgemeester de blunder weg.

Hij opende zijn armen als om iedereen te verwelkomen en begon zijn toespraak.

'Geachte mevrouw Daniëlla Geynders, liefste Ella, beste collega's uit het college, beste inwoners, bedankt om hier vandaag allen samen deze heugelijke gebeurtenis te vieren. Het doet me deugd om te zien hoe talrijk de opkomst is. Dit betekent dat wij, de inwoners van Horville, nog altijd de gastvrije mensen zijn die we altijd zijn geweest. Het is voor ons een verblijdende gebeurtenis om nieuwe parochianen in onze samenleving te mogen opnemen...'

Bla, bla, bla, bla, bla, bla, bla, bla...

Wat kon die vent zagen zeg! Hij had het onophoudelijk over mams en mij alsof we gelauwerd werden vanwege een of andere bijzondere prestatie. Voor zover ik wist hadden we geen mensenlevens gered. We waren gewoon naar dit achterlijke boerengat verhuisd, dat was alles. Het verbaasde me bijna dat hij ons na zijn veel te lange toespraak geen medaille op de borst spelde. Hij liet het bij een boeket bloemen voor mams en een doosje met witte zakdoekjes voor mij.

Zonder mopperen nam ik de zakdoekjes in ontvangst en keerde terug naar mijn plaats. Gelukkig gaf die schoft van een burgemeester me geen drie kussen zoals hij bij mams deed, en liet hij het bij een slap handje.

Hij nam weer plaats achter het spreekgestoelte en nodigde iedereen uit om naar de parochiezaal op het stadspleintje te gaan. Mams en ik volgden slaafs de menigte.

De kale parochiezaal stond in schril contrast met de knusse raadzaal. De witte verf schilferde van de muren en ontblootte tientallen bruinrode bakstenen. Bovendien was de feestzaal niet opgesmukt. In een hoek stond een tapkast en een toog waar je drankjes kon halen. Iedereen stond in kleine groepjes met elkaar te keuvelen.

Mams en ik vertoefden bij Kika en haar ouders. Tevergeefs speurde ik naar een discobar om wat ambiance in de keet te brengen. Zelfs een begrafenis was sfeervoller dan dit "festijn".

'Ik dacht dat het een bal was', zei ik tegen mijn moeder. 'Waar is de muziek?'

Mams haalde haar schouders op om aan te geven dat ze het niet wist en dat het haar geen moer kon schelen. In tegenstelling tot paps en mij was mams niet zo'n muziekliefhebber.

Het viel me op dat er zo weinig kleine kinderen waren. Er waren wel leeftijdsgenootjes van Kika en mij en heel wat oudere jongeren, maar geen jongere kinderen of kleuters. Het was toch nog te vroeg voor hen om onder de wol te kruipen? Of vonden de ouders deze gelegenheid niet geschikt voor hun kroost? Misschien. Ach, de kleintjes mochten zich gelukkig prijzen, wat een saaie bedoening!

Vijf kleffe vingers grepen me bij mijn arm vast. Mijn reactie was om diegene die me met zijn worstvingers vastpakte een dreun in het gezicht te verkopen, maar ik merkte net op tijd dat het de burgemeester was. Met zijn andere hand omklemde hij de arm van mijn moeder. Hij sleurde ons allebei mee naar het achterste deel van de parochiezaal, waar twee stoelen naast elkaar waren opgesteld.

'Ga maar zitten!'

Het klonk eerder als een bevel dan als een uitnodiging en dat beviel me niet.

'Wat ben je van plan?' vroeg ik toen ik was gaan zitten en zag dat de menigte ons aanstaarde als een gedrocht met honderden ogen.

'Gewoon, een kleine plechtige inwijding. Al onze nieuwe inwoners mogen daarvan genieten.'

Ik was helemaal niet van plan om ervan te genieten. Ik wilde van mijn stoel springen, maar mijn moeder legde haar hand op die van mij.

'Laat ze nou', fluisterde ze me toe. 'Ze willen ons gewoon opnemen in hun gemeenschap'.

Ik had geen zin om deel uit te maken van hun kleinzielige gemeenschap, maar bleef toch zitten.

Een klein broos mannetje dook op achter de brede, dikke romp van de burgemeester en knielde voor me neer.

'Dit is onze pastoor', stelde de burgemeester het kereltje voor.

De pastoor hiel een klein potje vast dat gevuld was met zwarte troep. Hij duwde zijn duim in de smurrie en smeerde het op mijn voorhoofd. Zijn fijne, bloedloze lippen prevelden woorden die ik niet verstond, maar waarvan ik vermoedde dat ze Latijns waren omdat ze me vaag bekend voorkwamen. Zijn duim tekende een bepaald patroon op mijn voorhoofd en ik twijfelde er geen seconde aan dat dit het sterrensymbool was.

Rond de hals van de pastoor bengelde een zilveren kettinkje met een sieraad: een kleinood in de vorm van een ster. Wat was dat toch met die verdomde ster? Een pastoor droeg normaal toch een kruisje!

De zielenherder van de parochie nam rustig de tijd om me

in te wijden en ik kreeg er zo stilaan genoeg van. Net toen ik hem wilde stoppen, hield hij er zelf mee op, om vervolgens tot mijn verbazing mijn rechterschoen uit te trekken.

'Héla, wat moet dat?' vroeg ik hem.

'Ik zet een symbool op je beide voeten', sprak hij met een zware bromstem die absoluut niet bij zijn broze lichaam paste. 'De ster moet je van kop tot teen beschermen.'

'Nee, dank je.'

Ik trok mijn andere voet weg toen hij ook mijn tweede sport-schoen wilde uittrekken.

De pastoor wist niet goed hoe hij moest reageren en keek om hulp smekend naar de burgemeester die achter hem stond.

'Kom op, Ella, je mag ons toch niet teleurstellen', probeerde de burgemeester.

Ik bukte me en trok mijn sportschoen weer aan.

'Nee is nee', volhardde ik.

Een zucht van verontwaardiging golfde door de men-senmassa die naar me staarde. Op het gezicht van Kika bespeurde ik ongeloof en ook wel een beetje trots omdat ik dit durfde.

'Maar Ella toch, je...'

Mams zag dat mijn ogen vuur schoten en staakte haar poging om me om te praten.

Zelfs een dreigement over mijn internetabonnement zou deze keer niets uithalen.

Ook de burgemeester en de pastoor zagen in dat ze me niet konden overhalen en met een kleine hoofdknik gaf de bur-gemeester aan dat de pastoor me met rust mocht laten en de symbolen bij mams moest aanbrengen.

Mams liet gewillig het assenkruis op haar voorhoofd en op haar beide voeten zetten. Ze giechelde meisjesachtig toen de pastoor met zijn duim haar voetzolen beroerde. Tja, mams kon niet tegen kietelen. De pastoor nam heel wat minder tijd voor haar dan voor mij. Hij prevelde ook geen Latijns klinkende woorden zoals daarnet. Binnen de minuut was het voorbij.

Een oude man met een grijze baard overhandigde de pastoor een goudkleurige beker waarin een rode vloeistof zat. De pastoor zette het goedje aan mams' lippen.

'Drink, en laat u zuiveren voor de hemel', murmelde hij.

Mams dronk ervan. Vervolgens zette hij de beker aan mijn lippen. Het goedje was geurloos. Ik blikte diep in de pupillen van de pastoor om na te gaan welk gevoel daarin lag, maar zijn koele ogen staarden me uitdrukkingsloos aan.

'Drink, en laat u zuiveren voor de hemel.'

Die zin sloeg toch nergens op!

Ik voelde er weinig voor om ervan te drinken, maar besefte dat ik al genoeg weerwerk had geboden en nipte er dan toch maar even van. Het was niet echt lekker, maar ook niet uitgesproken vies. Ik slikte het goedje door.

'Is het ritueel nu voorbij?' vroeg ik.

De pastoor knikte.

Mams en ik stonden op van onze stoel.

Terwijl ik naar Kika slofte, vroeg ik me af waarom ik het woord "ritueel" had gebuikt en niet "ceremonie" of "plechtigheid". *Omdat het op een ritueel lijkt*, bedacht ik. Deze hele vertoning leek geen gewone ceremonie, maar eerder een inwijdingsritueel. Maar in wat? Daar had ik geen idee van. Ik vertrouwde het in elk geval niet.

Ik had ondertussen voor mezelf uitgemaakt dat er meer aan de hand was dan een stadje gevuld met knettergekke mensen. Ze voerden iets in hun schild, dat voelde ik tot in de toppen van mijn tenen. Maar wat, dat wist ik niet. Zou het iets te maken kunnen hebben met een sekte? Behoorden de inwoners tot één of andere vreemde sekte? Maar welke sekte dan? En was het een gevaarlijke sekte of niet?

Ik begon de man in het zwart steeds meer te geloven. Het leek inderdaad beter dat we zo snel mogelijk wegvluchtten uit dit stadje. Maar hoe ik mams moest overtuigen om terug te verhuizen, dat was me een raadsel.

Tot mijn verbazing verliep de rest van de avond zonder verdere noemenswaardige problemen. Ja, het was saai en ja, ik was graag vlugger thuis geweest, maar om de tijd te doden kletste ik met Kika over het leven in de stad en dat deed me toch wel goed.

Heel wat burgers kwamen een gesprekje met me voeren, en velen wilden me ook even aanraken, alsof ik een schattige pasgeboren baby was en ze het niet konden laten even over mijn zachte velletje te wrijven.

Ik stuurde hen allemaal vlug weg. Sommigen negeerde ik, anderen snauwde ik af. Ik was alleen vriendelijk tegen Kika omdat ze de enige was die ik een beetje kon uitstaan. Ze mocht dan wel zeer kortzichtig zijn, maar ze begreep me tenminste. Net zoals ik, verlangde ze naar een bestaan buiten dit boerengat.

Wie me ook kon charmeren was een heel oud vrouwtje. Te oordelen naar haar doorzichtige, perkamenten huid was ze minstens honderd jaar. Ze liep op me af en bekeek mams en mij van kop tot teen. Tot mijn verbazing was het de enige die geen ster op het voorhoofd droeg.

'Wat zijn jullie schoffies meer dan ik dat jullie zo feestelijk ontvangen worden?'

Mams keek verstoord op, maar ondanks de onbeleefdheid van het oude vrouwtje of misschien wel juist vanwege haar grofheid stuurde ik haar niet weg.

'En wie mag jij zijn?' vroeg ik.

'Victoria! Ik ben hier vorige maand komen wonen, maar ik heb helemaal geen feest gekregen!'

Dat verbaasde me, want de burgemeester had toch gezegd dat alle nieuwe inwoners net zo hartelijk ontvangen werden als wij.

'Dat vind ik ook niet eerlijk, Victoria', beaamde ik. 'Kom we gaan naar de burgemeester en vragen wanneer u uw feest krijgt.'

Het oude vrouwtje lachte me vriendelijk toe. Behalve Kika's schaarse glimlach, was het de eerste echte lach die ik in Horville te zien kreeg. Ik haakte mijn arm in die van haar en samen stapten we op de burgemeester af, die met een schepen over de begroting praatte.

Ik tikte de burgemeester op de schouder. Hij draaide zich gestoord om.

'Waarom heeft Victoria geen welkomstfeest gekregen zoals wij?' vroeg ik.

De vette kwal van een burgemeester was duidelijk uit zijn lood geslagen. Hij wist eerst niet wat hij moest antwoorden, waarna hij met een smoes op de proppen kwam.

'Bent u niet verwelkomd?' vroeg hij gespeeld vriendelijk aan het oude vrouwtje.

Victoria schudde heftig haar hoofd.

'Dat euh… dat is dan de fout van de administratie', loog hij zonder blikken of blozen. 'Die moeten dat vergeten zijn. Ik beloof het u. Volgende maand wordt u gevierd.'

'Ik dacht dat u alle inwoners zo goed kende', wierp ik op. 'Dan hebt u hier toch een fout gemaakt.'

Het zweet barstte hem uit en zijn opgeblazen kikkerkop liep rood aan.

'Nou euh ja, de agenda van een burgemeester is altijd…'

'... druk bezet, ja, ja, ja.' vulde ik aan.

Zonder nog iets te zeggen draaiden het oude vrouwtje en ik ons om.

'Je bent een goed meisje', zei Victoria glimlachend.

'Ik ben blij dat iemand hier dat eindelijk doorheeft', lachte ik.

•

's Avonds in de badkamer waste ik het assenkruis onmiddellijk met zeep van mijn voorhoofd. Daarna liep ik naar mijn slaapkamer. Toen ik daar binnenkwam, stroomde de koude lucht me tegemoet. Een kilte die door merg en been ging. De tocht kwam uit mijn slaapkamerraam, dat op een kier stond. Wie had het geopend? Ik in elk geval niet. Niet met deze temperaturen. En mams wist dat ze het niet moest durven om mijn kamer te betreden.

Mijn blik viel op het kooitje van mijn hamstertje.

'Storm!' riep ik geschrokken, toen ik merkte dat mijn hamster niet in het schaafsel rondliep of sliep.

Ik keek of hij zich niet onder de schaafselkrullen had verstopt, maar stelde al vlug vast dat hij echt niet in zijn kooitje zat.

Enkele maanden geleden was Storm nog mager genoeg geweest om zich door zijn tralies te wringen. Hij was dan ook meerdere keren ontsnapt, maar de laatste weken was hij veel te dik geworden om nog een ontsnappingspoging te ondernemen. *Prison Break* was voor hem verleden tijd.

En toch was hij ontsnapt. Hoe had hij dat klaargespeeld? Ik keek naar het kleine deurtje, maar dat was zoals altijd netjes met een haakje vastgemaakt. Hoe was hij dan toch kunnen uitbreken?

Er was maar één mogelijke verklaring: hij was niet op eigen houtje ontsnapt, iemand had hem er uitgehaald. Maar wie? Zelfs als mams het zou wagen om mijn kamer te betreden, zou ze *dat vieze stinkbeest* voor geen duizend euro aanraken. Wie dan wel? Wie stal er nu een hamster? Of was er toch iets anders gebeurd met Storm? Maar wat dan?

Mijn oog viel op het doorzichtige goedje dat aan het kooitje kleefde. Het spul was aan vijf tralies gesmeerd. Het leek op slijm. Ik raakte het met mijn vingers aan. Het goedje was plakkerig. Toen ik beter keek, zag ik dat het spul niet alleen aan het kooitje hing, maar ook aan het houten kastje waarop het kooitje stond. Een dik slijmspoor liep vanaf de kast, over de vloer tot aan het geopende raam.

Was Storm door het raam naar buiten geglipt? Maar wat was dat slijmerige spul dan dat aan hem plakte? Of had iemand of *iets* anders het slijmspoor achtergelaten. En had diegene die het spoor had gemaakt iets te maken met de verdwijning van Storm?

De hele avond en nacht zocht ik het huis en de omgeving af, maar ik vond Storm nergens. Ook mams wist niet waar hij was. Ze hielp me zelfs zoeken, maar tevergeefs. Ik hoopte dat hem niets ergs was overkomen, maar vreesde dat ik hem nooit zou terugzien.

De verdwijning van Storm mocht voor mams dan een onschuldig voorval lijken, ik voelde dat het dat niet was. Het had iets te maken met Horville, dat wist ik gewoon.

Diep in de nacht huilde ik mijzelf in mijn bed in slaap.

[5] Zelfmoord of moord?

's Nachts liet ik het deurtje van Storms kooitje wijdopen staan, in de hoop dat hij zou terugkeren naar zijn bescheiden woninkje, maar toen ik maandagochtend wakker werd, was het hokje nog steeds leeg.

Ik was nauwelijks aan slapen toegekomen, maar toch was ik niet moe. Ik was te verdrietig, maar ook te alert om vermoeid te zijn. Verdrietig vanwege Storm, alert vanwege alles wat er was gebeurd in Horville.

Ik had me 's nachts sterk gehouden en had niet meer gehuild. Wel had ik voortdurend naar het toilet moeten gaan om te plassen, alsof mijn traanvocht een andere uitweg had gezocht.

Met tegenzin wurmde ik me in mijn kleren, waarna ik de trap afdaalde.

Mams werkte haastig een kom cornflakes van een mij onbekend merk naar binnen, terwijl ze door het lokale dagblad *De Horvillenaar* bladerde. Ze glimlachte breed en zag er veel te opgewekt uit naar mijn zin.

'Goedemorgen, Ella.'

'Heb je Storm nog gezien?'

Mams schudde haar hoofd, terwijl haar kaken de krokante maïsvlokken maalden. Ze probeerde triest te kijken, maar bracht daar weinig van terecht.

Ik wist wel waarom. Ze was opgetogen omdat het vandaag

haar eerste werkdag was in de plaatselijke uitgeverij van prentenboeken.

Zuchtend plofte ik op mijn stoel neer.

'Hij moet hier toch ergens rondlopen!'

'Hij komt heus wel weer opdagen', zei mams troostend.

Aan haar stem te horen geloofde ze haar eigen woorden niet. Ach, ze wilde gewoon van mijn gezeur af. Het lot van Storm raakte haar niet.

Ik dacht er even over na om mams te vertellen over de vreemde dingen die ik had gezien, maar deed het niet omdat ik betwijfelde of ze me zou geloven. Ze zou net zoals Dafne denken dat ik alles aandikte omdat ik hier weg wilde. Bovendien had buurvrouw Linda heel veel invloed op mams. Voor alle vreemde dingen die er gebeurden schudde ze wel een voor de hand liggende verklaring uit haar mouw. Meestal verwees Linda dan naar de eigenheid van de kleine gemeenschap in Horville, maar ik geloofde niet zo in de verklaringen van Kika's moeder.

Hoe kon ik mams ervan overtuigen dat er meer aan de hand was? Ik had er geen idee van, want ik had geen enkel bewijs. Bovendien wist ik niet eens wat er precies gaande was.

Mams wees naar mijn te ruime zwarte sweater waarop een filmposter van de *X-men* was afgebeeld.

'Ga je dat aantrekken op je eerste schooldag?' vroeg mams.

'Yep!'

'Dat is niet echt gepast, Ella, ik...'

'Ik hou hem aan en daarmee basta!' snauwde ik.

Mams zag in dat het beter was me vanochtend niet voor de voeten te lopen en ging er niet verder op in.

Ik had helemaal geen zin om naar een achterlijke school te gaan in een achterlijk gehucht, zeker niet na de verdwijning van Storm. Spijtig genoeg bestaat er zoiets als schoolplicht.

Mams lepelde de laatste cornflakes op en met een nog volle mond trok ze haar jas aan.

'Ik ben weg. Ik wil op mijn eerste dag niet te laat komen. Daaag, amuseer je op school!'

'Dag mams', zuchtte ik.

In tegenstelling tot mij fleurde mams hier echt op. Ze zat in haar leven altijd wel in één of andere fase. Ik kon alleen maar hopen dat ze deze boerinnenfase vlug beu zou zijn.

Ik had geen honger en hield het bij een glas sinaasappelsap en wat droge cornflakes die ik uit het pak grabbelde en met lange tanden oppeuzelde. Jezus, hadden ze hier echt niets dat te vreten was?!

Het glas sinaasappelsap liet een natte, halve kring achter op de voorpagina van mams krant, waardoor mijn oog erop viel.

Als bevroren bleef ik zitten. Zonder ook maar een geluid uit te brengen of enige beweging te maken, dwaalden mijn ogen over het nieuwsbericht dat bovenaan de pagina stond.

Man pleegt zelfmoord

HORVILLE - Gisterenavond heeft Mark Lieferinge uit de Kwakkelstraat zichzelf verhangen op zolder. Zijn vrouw trof het levenloze lichaam van haar echtgenoot aan toen ze thuiskwam van het verwelkomingfeest van de burgemeester.

Drie maanden geleden stierf het 13-jarige zoontje van Mark. Volgens zijn vrouw heeft Mark de dood van hun zoon niet kunnen verwerken. De laatste tijd zou hij het wel eens gehad hebben over zelfmoord. Mark was heel onevenwichtig en klampte in Horville mensen zonder enige reden aan. Woensdag wordt Mark begraven op het plaatselijke kerkhof.

Nadat ik het artikel had gelezen, bleven mijn ogen aan de foto van de overleden man plakken. Ik herkende hem. Het was de kerel in het zwart die me had achtervolgd vanaf het moment dat we in Horville gearriveerd waren. Zijn woorden gonsden door mijn hoofd. *Ik heb niet veel tijd. Ze zijn me op het spoor! Ze weten dat ik je benaderd heb. Je moet hier weg, Ella! Ze willen je doden! Oh, mijn God, het is daar!*

Dat deze man zelfmoord had gepleegd, kon ik moeilijk geloven. Misschien omdat zijn ogen vervuld waren geweest van doodsangst. Een man die zelfmoord wilde plegen was toch niet bang van de dood? Of was de man krankzinnig, zoals de journalist in de krant suggereerde?

Mark was heel onevenwichtig en klampte in Horville mensen zonder enige reden aan.

Was ik één van de velen geweest die hij had lastiggevallen? Ik geloofde het niet echt. En wat ik zeker niet geloofde was dat hij zelfmoord had gepleegd. Maar als het geen zelfmoord was, dan was het moord. En wie had die moord gepleegd? *Het?*

Indien hij was vermoord omdat hij me had benaderd, dan was ook ik in gevaar!

•

Nog steeds met de daver op het lijf door het lezen van het krantenbericht, kocht ik in het tabakswinkeltje recht tegenover de school een gsm-kaart, waarna ik de schoolpoort binnenliep.

Ik had geen zin om me te concentreren op de lessen. Hoewel ik niet veel aandacht schonk aan de wereld om me heen, besefte ik al vlug dat de school in Horville nog net iets saaier, vervelender en onaangenamer was dan de stadsschool waar ik mijn broeken had versleten.

Wat mij vooral dwarszat was de onheilspellende sfeer die er hing en de vreemde zaken die er gebeurden. Zo zaten er in de klas van het eerste middelbaar maar zes leerlingen, waaronder Kika en ik. Het mocht dan een klein stadje zijn, een half dozijn leerlingen was echt wel bitterweinig. De tweede en derde klas telden een hoop meer leerlingen. Daar zaten ze met een stuk of twintig in de klas. De leerlingen waren trouwens één voor één even saai en glansloos als dode pieren in de modder.

Net zoals de mensen op de gemeentelijke welkomstreceptie, wilden ook de leerlingen allemaal even een praatje met me maken en me aanraken. Ik sloeg ze als irritante muggen van me af. Uiteindelijk lieten ze me met rust.

Kika en ik deelden een bankje. Hoewel ik haar bij mijn aankomst had verfoeid, leek ze nog de normaalste van alle inwoners.

De schooldirecteur gebruikte het volledige eerste lesuur om me te verwelkomen. Net zoals de burgemeester, besteedde hij heel veel aandacht aan mijn komst naar Horville. Hij behandelde me alsof ik een prinses uit een rijk land was. Was het maar waar, dan kocht ik een vliegticket en keerde meteen terug naar huis!

Ik was blij toen de directeur eindelijk het klaslokaal verliet, al werd de boel er niet vrolijker op. Alle leraren begroetten me hartelijk, en toen ze hun les begonnen, was die al voor de helft voorbij. Ach, misschien gaven ze hier gewoon niet graag les. Begrijpelijk, want de lessen waren oersaai. Ook de manier waarop de leraren les gaven, ergerde me mateloos. Ze dramden hun leerstof af alsof ze tegen een stel professoren aan het praten waren. Er was er ook eentje die voortdurend zijn ogen sloot. Nou, die hoefde vannacht alvast niet meer te slapen!

Hoewel de leerstof wel een beetje leek op die van mijn vorige school in de stad, viel het me op dat er nauwelijks werd verwezen naar de buitenwereld. Bij aardrijkskunde kregen we de bodemsamenstelling van Horville te verwerken, met biologie schotelde de leraar ons de vegetatie van het stadje voor en in de geschiedenisles kwam het verleden van Horville aan bod. Zo kwam ik te weten dat er in 1974 een meteoriet op het stadje was neergestort. Dat was zowat het interessantste dat we voor de kiezen kregen. Maar de geschiedenisleraar bleef zo lang doordrammen over het neerstorten van de meteoorsteen dat het me al vlug de keel uithing. Ook in de les beeldende vorming kwam de meteoriet aan bod. De lerares vroeg ons om een meteoriet te schilderen. Van een idiote opdracht gesproken!

In alle lessen kwamen de voorbeelden uit het verleden en heden van Horville aan bod, maar over andere dorpen, steden, landen of werelddelen werd met geen woord gerept.

Uiterst merkwaardig was dat de leerlingen het antwoord op alle vragen wisten. Ze leken de leerstof haast even goed onder de knie te hebben als de leraren zelf. Ik was nou niet bepaald de slimste, maar hier in Horville leek ik echt wel een domme trien.

De wiskundeleraar schreef tien vergelijkingen op. Na minder dan drie minuten hadden alle leerlingen hun pen al neergelegd, en keken verveeld naar het schoolbord. Ik was maar net aan de tweede vergelijking begonnen. Ik bood me aan als vrijwilliger om de eerste vergelijking op het zwarte bord op te lossen, in de hoop dat ik daarna niet meer naar voren hoefde te komen. Aan het gezicht van de leerlingen en de leraar zag ik al vlug dat mijn oplossing fout was. Ze keken me aan alsof ik van een andere planeet kwam.

Ik hoopte dat het zo vlug mogelijk vrijdagavond zou zijn,

zodat ik met paps mee kon naar de stad. En ik betwijfelde of ik nog zou terugkeren naar Horville.

•

Woensdagmiddag besloot ik dat ik niet kon wachten tot vrijdag. Ik wilde NU weg uit Horville!

Die beslissing nam ik omdat Storm nog altijd niet terug was en mijn gevoel me vertelde dat mijn hamstertje dood was. Hoe Storm aan zijn einde was gekomen wist ik niet, maar ik was ervan overtuigd dat het iets te maken had met de andere vreemde gebeurtenissen in Horville.

Ondanks de uitgestrekte weilanden voelde ik me opgesloten in Horville. Dat benauwende gevoel kon ik niet langer verdragen.

Toen ik de *cottage* verliet, had ik nog niet bepaald of ik gewoon een uitstapje zou maken naar het dichtstbijzijnde stadje of zou doorrijden naar paps.

Ik ging op zoek naar een bushalte. Terwijl ik over straat liep, hoorde ik iemand mijn naam roepen. 'Hoi, Ella!'

Ik draaide me om. Kika kwam op een ouderwetse, afgetakelde fiets aangereden, of beter gezegd: aangeschoven. Het was een wonder dat ze zich kon rechthouden in de sneeuw. Ze stapte van haar dinosaurusfiets.

'Wat ben je aan het doen?'

'Ik ga naar Herevenegem. Waar is de bushalte?'

Kika wees in noordelijke richting.

'Aan het einde van deze straat?' vroeg ik.

Kika schudde haar hoofd.

'Je moet helemaal door het bos en daar ergens stopt de bus.'

'Dus hier in het centrum van Horville komt geen bus?'

'Wegens besparingen heeft de busdienst de halte in Horville stopgezet.'

'Dus nu moet je het hele bos door om een bus te nemen?'
'Het moet zo'n halfuurtje wandelen zijn, denk ik. Ik weet het niet zeker, want ik heb nog nooit met de bus gereden.'
'Pfff... Dan ben ik dus ongeveer een uur en een kwartier onderweg naar Herevenegem. Wat een gedoe!'
'Wat ga je doen in Herevenegem?' vroeg Kika.
'Ik ga naar een kapperszaak', loog ik.
'Een kapperszaak?' vroeg ze.
Ik wist niet of ze wat met me dolde en dit haar zin voor humor was.
'Waar je je haar laat knippen, natuurlijk.'
'O, ja... natuurlijk', bracht ze aarzelend uit.
'Mag ik je fiets lenen om naar de bushalte te rijden', vroeg ik aan Kika.
'Tuurlijk', antwoordde ze.
'Of kan ik anders tot daar met je mee? Dan ga ik wel achterop.'
'Ik mag van ma eigenlijk het bos niet in.'
'Jij mag niets van je ma, Kika. Doe nu voor één keer iets wat je zelf wilt. Heb je zin om me naar de bushalte te fietsen? Ja of nee?'
'Nou, ja, lijkt me wel leuk.'
'Goed, dat is dan afgesproken!'
Kika keek angstig om zich heen toen we het bos inreden, alsof er zich achter de bomen monsterlijke gedrochten verborgen die ons elk ogenblik konden aanvallen. Ook ik voelde nog altijd een beklemmende angst, maar probeerde dat niet te laten merken. Na een tijdje fietsen begon Kika zich meer op haar gemak te voelen en ze bracht die rust op me over.
Ik bedacht dat ik in de stad nooit achterop een dergelijke dinofiets gezien zou willen worden. Het was helemaal niet

cool, maar hier in Horville zou toch niemand er iets op aanmerken.

'Mag je eigenlijk wel alleen weg van je moeder?' vroeg Kika.

'Tuurlijk. Waarom niet?'

'Je bent *nog maar* dertien.'

'Ik ben *al* dertien! Trouwens, waarom ga je niet mee naar Herevenegem?'

'Mag niet van ma.'

'Wat heb ik je daarnet gezegd? Je moet doen wat je zelf wilt. Nou, wat denk je?'

Kika schoof heen en weer op haar zadel, en toen ze achterom keek, zag ik hoe haar ogen fonkelden. Ze zou me dolgraag vergezellen. Maar ik zag ook angst in haar blik. Wat moest ze tegen haar moeder zeggen?

'Toe', drong ik aan. 'Je wilde toch zo graag eens weg uit Horville. Dit is je kans.'

'Ma vilt me!'

Ik zei verder niets om haar te overtuigen, maar liet de stilte voor zich spreken.

'Goed dan', zwichtte ze uiteindelijk. 'Maar ma mag nooit te weten komen dat ik ben weggeweest uit Horville!'

Ik spuwde een vlok schuim op de voorbijglijdende grond en stak mijn wijs- en middelvinger de hoogte in.

'Ik zwijg. Erewoord!'

'Wat is dit spannend!'

In haar stem klonk eerder angst dan spanning, maar ik was toch blij dat ze beslist had om mee te rijden. Het gaf me een reden om terug te keren naar Horville, want ik was bang dat als ik alleen ging, ik zou beslissen om zeker door te rijden naar paps. En dan zou er waarschijnlijk wat zwaaien. Toch betekende het gezelschap van Kika niet dat ik in ieder geval zou terugkeren. Het kon zijn dat ik haar op de bus richting Horville zette, terwijl ik naar Amstrecht reed om paps op te zoeken.

Plots zag ik onder het bladerdek iets op ons afglijden. Het vorderde vliegensvlug. Ik had er geen idee van wat het was. Voor ik Kika er attent op kon maken, stootte het tegen het voorwiel van de fiets aan. Kika verloor de controle over het stuur, raakte uit evenwicht en denderde samen met mij in de sneeuw.

Ik voelde een stekende pijn in mijn schouder, maar hij was gelukkig niet ontwricht. Kika was er erger aan toe. Ze kreeg de fiets bovenop haar en het stuur priemde in haar buik. Daarbij had ze het ongeluk om met haar been op een tak te vallen die uit de bosgrond stak. Ze schreeuwde het uit van de pijn.

Ik gooide de fiets met mijn linkerhand van haar af en hielp haar overeind. Ze klaagde over pijn aan haar zij, haar elleboog en haar knie en kon met moeite lopen.

'Gaat het?' vroeg ik hoewel ik zag dat het eigenlijk helemaal niet ging.

'Rottak!' schreeuwde ze en het was meteen de eerste keer dat ik haar zo hoorde tieren.

Waarschijnlijk riep ze zo hard omdat ze had uitgekeken naar het bezoekje aan Herevenegem en nu inzag dat ze er in deze toestand niet zou komen.

'Neem jij de fiets maar, ik ga wel lopend terug', zei Kika.

Ik had heel veel zin om te doen wat ze zei, maar deed het niet omdat ze na drie stappen al in de sneeuw viel. Ik liep naar haar toe en hielp haar overeind.

'Ik denk dat jij beter de fiets kunt nemen', zei ik.

Kika bedankte me, maar na vijf pogingen was het wel duidelijk dat ze vanwege haar pijnlijke knie de trappers niet kon ronddraaien.

'Ach, ik ga wel mee terug,' besloot ik, hoewel ik weinig zin had om terug te keren naar het centrum van Horville. 'Ik zal wel fietsen en dan kan jij achterop zitten.'

Kika keek me teleurgesteld en schuldbewust aan.

'Sorry, Ella, ik had mijn ogen beter op de weg moeten houden, dan had ik die tak gezien.'

'Ik denk niet dat je er iets aan kon doen, Kika. Volgens mij zijn we niet gevallen door die tak, maar was het één of ander beest dat ons van de sokken reed.'

'Een beest?'

'Er kroop iets onder de bladeren.'

Ik moest vanzelf denken aan de wormen die ik in de tuin van de buurvrouw had gezien, al had ik er geen enkel bewijs van dat een worm verantwoordelijk was voor onze valpartij. En een worm was toch niet zo dik? Kika zou zo'n beest trouwens gewoon platgereden hebben.

'Ik denk ook niet dat jullie zomaar gevallen zijn.'

Kika en ik draaiden ons hoofd gelijktijdig om in de richting van de oude vrouwenstem die achter ons klonk.

Het was Victoria. Ze keek ons strak aan.

'Ik weet niet waardoor jullie zijn gevallen, maar wees er maar zeker van dat het niet per ongeluk is gebeurd.'

'Hoe bedoel je?' vroeg ik.

'Nou, sinds ik hier woon ben ik al drie keer naar de bushalte gewandeld, maar nog geen enkele keer ben ik hier weggekomen. De eerste keer had de bus mechanische problemen, de tweede keer was er een boom op de weg gewaaid en de laatste keer, eergisteren was dat, had de bus een lekke band. De reparatiedienst die moest langskomen had ook nog eens te kampen met problemen aan de motor. Dat kan geen toeval meer zijn.'

'Wat wil je zeggen?' vroeg ik. 'Dat we hier niet weg mogen?'

'Ik weet het niet meisje, maar daar begint het toch wel erg op te lijken.'

Ondanks de situatie was ik blij dat er buiten mij nog iemand was die inzag dat er in Horville iets niet pluis was.

'Heb je nog andere vreemde dingen gezien hier in Horville?' vroeg ik.

'Niet echt, Ella, alleen heb ik kunnen vaststellen dat er in dit stadje heel wat zonderlinge mensen wonen.' Victoria keek verontschuldigend naar Kika. 'Sorry meisje, maar zo is het nu eenmaal.'

Kika haalde de schouders op om aan te geven dat ze zich niet beledigd voelde.

Victoria richtte zich tot mij. 'Heb jij misschien al vreemde dingen gezien?' kaatste ze mijn vraag terug.

'In dit plattelandsstadje meer in een paar dagen tijd dan in mijn hele leven in de grote stad', antwoordde ik.

Victoria glimlachte.

'Ja, het is een zonderlinge leefgemeenschap hier. Geen wonder dat ze vanuit de omringende gemeenten liever niet hier naartoe komen.'

'Waarom niet?' vroeg Kika, die zich nu toch een beetje aangevallen voelde omdat zij tenslotte toch één van de inwoners van deze "zonderlinge leefgemeenschap" was.

'Nou ja, ik heb vroeger altijd in Meerdam gewoond, het dorpje grenzend aan Herevenegem, en daar werd altijd gesproken over Horville als een soort van spookstad. Niet dat ik die verhalen ooit geloofd heb, hoor. Ik heb al te veel meegemaakt om nog in spoken te geloven, meisjes.'

'Welke verhalen vertelde men dan?' vroeg Kika.

'Vele uiteenlopende verhalen. Over dolende geesten, gevaarlijke wilde dieren en zelfs over vampiers. Dat is trouwens ook de reden waarom de busdienst niet meer door het centrum van Horville rijdt. De buschauffeurs reden er liever niet meer omdat hun bus om de haverklap dienst weigerde. Wat nu blijkbaar ook gebeurt wanneer er iemand die in Horville woont met de bus mee wil.'

Het verhaal dat Kika me verteld had over de besparingen klopte dus niet. Aan de blik van Kika merkte ik dat ze ervan schrok dat Victoria een andere reden aanhaalde voor het afschaffen van de stopplaats.

'Ik heb die verhalen nooit geloofd hoor', vulde Victoria aan, 'anders was ik nooit hier naartoe verhuisd. Maar stilaan begin ik toch te vermoeden dat ze een grond van waarheid bevatten. Misschien had ik wel moeten luisteren naar al die mensen in Meerdam die me afraadden om hier te komen wonen. Ach ja… spijt heb ik nog nooit ergens over gehad, dus ook niet over de beslissing om hierheen te verhuizen.'

'Moeten we dan niemand inlichten dat er hier iets mis is?' vroeg ik.

'Wie dan? En wat wil je dan vertellen? Dat één of andere kracht de inwoners hier in Horville gevangen houdt?'

Victoria had gelijk. Niemand zou dat geloven. Evenmin als een verhaal over wormlikkende oude vrouwtjes en duistere rituelen.

Toen er niets meer te zeggen viel, namen we afscheid van Victoria en reden met de fiets terug naar het kleine stadscentrum van Horville.

'Geloof jij wat Victoria vertelde?' vroeg Kika.

Het gesprek met de oude vrouw liet haar dus blijkbaar ook niet los.

'Absoluut!'

'Ik niet. Ook heb ik nog nooit iemand horen zeggen dat ze hier niet weg kunnen komen', wierp ze op.

'Maar is er hier wel iemand die weg wil?'

Daar kon Kika me niet op antwoorden.

Er viel een korte stilte, waarna Kika me vroeg welke vreemde dingen ik eigenlijk allemaal al had gezien in Horville. Ik vertelde haar over het verdwijnen van Storm, de rare buurvrouw, de man in het zwart en alle andere dingen die ik had meegemaakt.

Kika werd er stil van, maar ik wist niet of ze me geloofde.

'Na het weekend kom ik hier niet meer terug, Kika', bekende ik. 'Daar had ik al over nagedacht, maar nu staat mijn besluit vast. Zo veel vreemde dingen kan een klein stadsmeisje niet aan.'

Kika wist niet wat ze er op moest zeggen. Toen we voorbij de school reden, wees ik naar het gele bord dat boven de schoolpoort hing, waarop stond "Middelbare school".

'Waar staat de basisschool van Horville eigenlijk ?' vroeg ik.

'Die hebben ze afgeschaft', antwoordde Kika.

'Wat bazel je nou?'

'Nou ja, die bestaat al lang niet meer.'

'En waarom niet?'

Kika haalde haar schouders op.

'Daar heb ik nog niet over nagedacht.'

'Hoe kan je daar nou nog niet over nagedacht hebben?'

Kika staarde schuldbewust naar haar handen.

'Dat weet ik niet.'

'Kinderen moeten toch naar school!'

'Ja, maar in Horville zijn er geen kleine kinderen.'

'Dat kan toch niet! Waar zijn die dan?'

'Mijn vader vertelde dat de gezinnen met jonge kinderen Horville verlaten hebben.'

'Allemaal? Waarom?'

Kika haalde opnieuw haar schouders op. Ze had er echt geen idee van.

'En worden er dan geen kinderen geboren?' vroeg ik.

Ik keek achterom en Kika staarde me met open mond aan.

'Nou... nee.'

Ik zag aan haar gezicht dat ze er nog nooit bij had stilgestaan hoe dit mogelijk was.

'In Horville is er iets helemaal mis, Kika', zei ik.

En aangezien Kika dit niet meteen tegensprak, vermoedde ik dat ze me stilaan begon te geloven.

[6] Werkelijkheid of droom?

Normaal is er niets rustgevender dan ronddobberen in een badkuip gevuld met warm water, je evakostuum verborgen onder een dikke schuimkraag, in je ene hand een koel glas limonade en in je andere een grote zak chips.

Maar nu kon ik niet ten volle genieten van mijn badmoment, omdat de gebeurtenissen van de afgelopen dagen me geen seconde loslieten. Ook flarden van de gesprekken met de man in het zwart en met Victoria en Kika spookten door mijn hoofd.

Peinzend propte ik het ene na het andere gefrituurde aardappelschijfje in mijn mond. De bosbessenlimonade kietelde mijn tong en liet een frisse smaak achter, waar ik even van genoot, om vervolgens de chips verder op te peuzelen.

Ik probeerde de nare gedachten die in mijn hoofd ronddobberden helemaal los te laten door me te concentreren op de prikkels die door mijn zintuigen werden geregistreerd: het warme water en de bubbels tegen mijn naakte huid, de lentefrisse geur van het aroma van de badparels, de zoete smaak van de limonade die in schril contrast stond met de zoute chips, het kalmerende geluid van de stilte en de aanblik van de bijna perfecte, rustgevende duisternis om me heen.

Toen ik eindelijk een beetje tot rust kwam, zette ik mijn lege glas op de brede rand van de badkuip en sloot mijn ogen.

Op dat ogenblik voelde ik iets over mijn bil glijden, als de zachte aanraking van satijn. Was het stuk zeep in bad gegleden?

Ik tastte met mijn hand de bodem van de badkuip af, maar vond de zeep nergens. Ik opende mijn ogen en stelde vast dat de zeep nog steeds op de rand van het bad lag.

Wat was er dan in gevallen?

Ik ging wat meer rechtop zitten en legde mijn zak chips naast het lege glas zodat ik met beide handen kon zoeken.

Niets.

Omdat ik de badkamerlichten niet had aangeknipt, kon ik ook niet zien wat er in het water ronddreef. Maar zelfs als er voldoende licht was geweest, zou de dikke schuimkraag me het zicht belet hebben.

Plotseling voelde ik iets langs mijn kuit naar beneden glijden, ik graaide ernaar maar was een halve seconde te laat.

Ineens zag ik dat het waterniveau aan het zakken was. Stond het klepje van het afvoergat open?

Net toen ik dat wilde controleren, glibberde er iets over mijn buik. Het glipte van mijn onderbuik naar boven, tot op mijn borst. Ik huiverde toen het *ding* uit het schuim opdook.

Een worm! Een vettige, paarsblauwe aardworm!

Ondanks de duisternis was hij dicht genoeg bij mijn gezicht om hem goed te kunnen bekijken.

Het was de dikste worm die ik ooit had gezien. Dikker dan de gespierde bovenarm van een bodybuilder.

Ik slaakte een ijselijke gil en wipte uit bad. Door die beweging tikte ik per ongeluk tegen het zakje chips. Het tuimelde in bad. De worm probeerde over de rand te glibberen, maar toen de chips zich vermengden met het water, dook hij weer onder water.

Druipnat bleef ik op de badmat staan, mijn ogen op het

water gericht, klaar om weg te sprinten als ik het beest bespeurde.

Het water zakte centimeter voor centimeter, tot het bad volledig leeg was. Er kleefde alleen sop aan het bad. Geen worm te bespeuren.

Met de sproeier spoelde ik de laatste schuimrestjes weg, maar het bad was echt leeg.

•

'Je hebt gedroomd', oordeelde Kika.

Ze zat op de drempel van haar huis en leunde met haar rug tegen de voordeur, terwijl ze me ongelovig aankeek.

'Het was geen droom, Kika, het was echt!'

'Zo'n dikke aardworm bestaat niet eens! Trouwens, hoe zou die in bad terechtgekomen zijn?'

'Via het afvoergat.'

'Dus jij beweert dat de worm zelf het klepje heeft geopend?'

'Dat moet haast wel.'

'En als hij echt zo dik is, hoe kon hij dan door een smal afvoergat?'

'Misschien is hij heel elastisch!'

'Dit kan ik echt heel moeilijk geloven, Ella.'

Ik keek haar diep in de ogen.

'En dat na alles wat ik je verteld heb? Is het trouwens niet vreemd dat ik eerst onze buurvrouw aan een worm zie likken en er vervolgens eentje in mijn bad opduikt?'

'Misschien heb je het wel gedroomd doordat je de buurvrouw met die worm gezien hebt?'

Ik schudde mijn hoofd.

'De worm was echt, Kika. En het zou me niet eens verbazen als zo'n soort worm ons in het bos ook ten val gebracht heeft. En een dergelijk stom beest heeft waarschijnlijk ook Storm opgepeuzeld.'

'Ik weet niet wat ik hiervan moet denken, Ella. Echt niet. Victoria en jij kunnen dan wel denken dat hier in Horville rare dingen gebeuren, ik heb er mijn hele leven niets van gemerkt.'

Hoewel Kika dit zei, hoorde ik aan haar stem dat ze er zelf toch niet meer van overtuigd was of alles in Horville wel zo normaal was.

Ik ging er niet op in, maar liet haar de tijd om erover na te denken en begon over iets anders.

'Was je moeder kwaad omdat je in het bos geweest bent?'

'Ik heb het haar niet verteld.'

'Wat heb je haar dan op de mouw gespeld?'

'Dat ik met jou een fietstochtje door de weilanden maakte en dat we daar gevallen zijn.'

'En wat zei ze?'

'Dat ik me niet teveel met jou moest inlaten.'

'Daar heeft ze misschien gelijk in', grapte ik.

'Je gaat haar toch niet vertellen wat er echt gebeurd is?' vroeg Kika angstig.

'Nee, joh, waarom zou ik dat doen? Vrienden nemen het voor elkaar op.'

Kika keek me verrast aan, tranen blonken in haar ogen.

'Beschouw je ons als vrienden?'

'Nou... ja, maar tegen niemand zeggen hoor, anders ram ik je in elkaar.'

Kika staarde me een fractie van een seconde verward aan, maar vervolgens schoten we allebei in de lach. Toen we uitgelachen waren, besloot Kika naar binnen te gaan. Op dat moment zagen we onze oude buurvrouw in de tuin.

'Wat doet Mariette...'

Ik legde mijn wijsvinger op mijn lippen om Kika het zwijgen op te leggen.

'Sttt!'

Kika bleef op de drempel staan, maar ik pakte haar vast bij de mouw van haar dikke jas en trok haar mee naar de tuin van de buurvrouw. We vorderden niet heel snel, omdat Kika nog steeds last had van haar knie. Gebukt liepen we tot aan de haag.

Tussen de besneeuwde taxusboompjes konden we een glimp van het oude vrouwtje opvangen. Ze zat poedelnaakt op haar knieën in de sneeuw en stak haar armen in de lucht terwijl ze genietend hijgde. Rond haar blote lichaam kronkelden drie aardwormen, één zo dik als een python en de andere twee met de doorsnede van een tuinslang. De wormen staken nog deels in de grond.

Met open mond gaapten we naar het tafereel. We verroerden geen vin.

Mijn maag kromp pijnlijk samen en duwde de zoute chips en de zoete bessenlimonade samen met zure maagsappen naar mijn slokdarm. Ik slaagde er nog net in de vieze brij weg te slikken.

Wat als de aardwormen ons zagen? Zouden ze ons dan aanvallen? Ik wist het niet en hoefde het ook niet te weten.

Ik voelde hoe de kille hand van Kika die van mij omsloot. Vluchtig keek ze me aan. In haar ogen zag ik dat ze nu wel geloofde wat ik haar had verteld.

•

'Ik moet te weten komen wat er gaande is in Horville.'

Dat deelde ik op donderdag na de gymles mee aan Kika, toen we nog als enigen in de kleedkamer zaten. Als ik hier voor vrijdagavond toch niet weg kon komen, dan kon ik maar beter iets nuttigs doen met mijn tijd.

'Ik zal je daarbij helpen', beloofde Kika.

'De vraag is alleen… hoe komen we daar achter?'

Kika keek me vragend aan, maar kwam toen toch met een voorstel.

'We kunnen beginnen bij Mariette. Vragen hoe het zit met die wormen.'

'Ik heb al eens met haar gepraat, maar die laat niks los.'

'Wat moeten we dan doen?' kaatste Kika de vraag terug.

Ik antwoordde niet omdat ik net op dat moment mijn bezwete sportkleding wegstopte en in mijn gymtas een briefje aantrof. Zwarte, haastig neergepende woorden op een wit, verfrommeld papiertje.

'Kom naar de kapel in de Vaartstraat. Vanavond om negen uur. Breng niemand mee!'

Iemand moest het briefje in mijn sporttas hebben gestopt tijdens de gymles. Maar wie? En waarom wilde hij of zij me ontmoeten?

'Waar kijk je naar?' vroeg Kika.

Ik diepte het papiertje uit mijn zak en liet het haar zien.

'Wie heeft dat geschreven?' vroeg Kika, nadat ze het had gelezen.

'Dat komen we vanavond te weten.'

Zo te zien was onze speurtocht vanzelf begonnen.

•

Stipt om negen uur 's avonds arriveerden Kika en ik bij de bouwvallige kapel in de Vaartstraat. Alleen aan de gekruisigde Jezus boven de dikke houten deur was nog te merken dat het een kapelletje was. Het leek al jaren niet opgeknapt en dat verbaasde me toch, aangezien de inwoners van Horville bezielde kerkgangers waren.

Hier komen was gemakkelijker gebleken dan ik had verwacht. We hadden onze moeders wijsgemaakt dat we voor een schoolopdracht het kapelletje moesten bezoeken. Uiteraard hadden we dat pas laat op de avond meegedeeld, anders hadden ze ons hier naartoe gestuurd toen het nog niet zo donker was. Het verwonderde me wel dat ook Kika erin geslaagd was om haar moeder te misleiden.

'Weet je', zei mijn nieuwe vriendin, 'ik heb vroeger nooit gelogen tegen ma en sinds jouw komst al twee keer.'

'Nou, het werd tijd dat je dat ging leren!'

Ondanks het grapje lachten we niet. We waren nerveus omdat we niet wisten wat ons te wachten stond. Ik hoopte dat de schrijver van het briefje ons iets meer wilde vertellen over wat er aan de hand was in Horville.

Zou het briefje van Victoria kunnen zijn? Nee, die zou ons niet in het geniep benaderen, maar gewoon thuis aanbellen.

Het briefje kon natuurlijk ook van iemand zijn die slechte bedoelingen had en ons in de val wilde lokken. Of misschien was het gewoon één of andere grap van een jochie op school. Die laatste mogelijkheid kon ik haast uitsluiten omdat de leerlingen te saai waren om zoiets te bedenken.

Ik voelde aan de deur van het kapelletje, maar die zat potdicht. Daarom gingen we op het bankje naast de kapel zitten. We wachtten tot kwart over negen, maar er dook niemand op uit het duister.

We hadden het te koud om nog langer te blijven zitten en besloten ervandoor te gaan. Wie het briefje ook had geschreven, hij leek van gedachten veranderd.

'Misschien heeft het niets te maken met wat er aan de hand

is, maar wil iemand gewoon vrienden met je worden', wierp Kika op.

'Dat denk ik niet.'

Kika ging er niet verder op in, wat mij deed vermoeden dat ze ook niet echt geloofde in die mogelijkheid.

Onderweg naar huis begon het themamuziekje van de X-*men*-film te spelen. Ik diepte mijn gsm uit mijn zak op. Op het display zag ik dat het paps was die me belde.

'Hoi, paps!'

'Hey, Ella, alles goed?'

Hoewel hij opgewekt probeerde te klinken, hoorde ik meteen de sombere ondertoon in zijn stem.

'Is er iets, paps?'

'Nee... nou, ja. Ik... Het blijft hier maar sneeuwen en daarom hebben ze extra manschappen opgetrommeld om te strooien en...'

'Je kunt me niet komen halen vrijdag?' gokte ik.

Ik hoorde dat ook mijn stem somber klonk.

'Het spijt me, Ella. Ik moet het hele weekend werken.'

Ik zweeg en probeerde de krop in mijn keel door te slikken.

'Ik zal het later goedmaken.'

'Dat hoeft niet paps, ik begrijp het wel.'

'Ik vind het zo vervelend, Ella.'

Ik wist heel goed dat hij het jammer vond. We hielden er allebei van om samen te zijn. Zijn hart bloedde even erg als dat van mij. En toch kon ik het niet helpen dat ik kwaad op hem was. Een klein beetje maar, maar toch was het zo. Bovendien joeg het feit dat ik hier nog langer moest blijven me angst aan. Ik had meer zin om dit stadje de rug toe te keren dan om het mysterie op te lossen, maar zoals het er nu uitzag was er geen manier om uit Horville weg te komen.

Ik dacht erover na om paps de waarheid te vertellen, alleen

was het grote probleem dat ik niet wist wat de waarheid was. Het enige wat ik zeker wist was dat er hier in dit plaatsje iets niet pluis was en dat er grote wormen leefden. Maar zou paps dat geloven? Ik besloot het heel voorzichtig naar voren te brengen.

'Ik ben hier niet graag, paps.'

'Een grote stad is anders dan een plattelandsstadje. Maar je went er wel aan', probeerde hij me te troosten.

Ik hoefde op dit moment niet getroost te worden, ik wilde geloofd worden. Daarom ging ik een stapje verder.

'Het is niet alleen dat. Het is hier vreemd. Er leven hier dikke wormen en ik denk dat ze het op mij gemunt hebben.'

De stilte aan de andere kant van de lijn vertelde me dat ik geen grotere flater had kunnen begaan. Ik had zelf gehoord dat wat er uit mijn mond was gekomen heel ongeloofwaardig had geklonken.

'Ik had je echt graag komen halen, Ella', was het enige wat paps zei.

Hij dacht waarschijnlijk dat ik een verhaaltje verzon in de hoop dat hij dan toch zou komen. Ik zei niets meer omdat ik niet wist hoe ik hem ervan moest overtuigen dat ik de waarheid sprak. Zelfs met het zinnetje 'Kruis over mijn hart' zou ik het met dit ongeloofwaardige verhaal niet redden.

Uiteindelijk zei paps: 'Volgend weekend kom ik je halen, Ella, al ligt er een pak sneeuw van drie meter dik. Dat beloof ik je!'

'Goed, paps.'

We keuvelden nog wat over koetjes en kalfjes, waarna we het gesprek beëindigden.

Toen ik mijn gsm wilde wegstoppen, zag ik dat ik een berichtje had.

'Het kerkhof. Morgen na schooltijd. Zeg het deze keer tegen niemand!'

Vrijdagmiddag toen de schoolbel klonk, pakte ik mijn boekentas en snelde ervandoor.

'Waar ga je naartoe?' vroeg Kika.

'Nergens.'

Ik had tegen Kika wijselijk gezwegen over het sms'je, zodat diegene die me het berichtje had gestuurd deze keer zeker zou opduiken. Wie het sms'je had verzonden had ik niet kunnen achterhalen omdat het om een geheim nummer ging.

Het kerkhof was gelegen aan de achterkant van de kerk en was omgeven door een hoge bakstenen muur, zodat je van buitenaf niet kon zien wie er op rondliep. De ijzeren kerkhofpoort stond wagenwijd open. Op wankele benen liep ik het kerkhof op.

Om me heen zag ik alleen maar besneeuwde grafzerken, omgeven door besneeuwde kiezelpaadjes die elkaar kruisten. Er was geen levende ziel te bespeuren.

Ik bleef enkele minuten ronddwalen op het kerkhof, terwijl ik nadacht over de mogelijke identiteit van diegene die het berichtje had gestuurd. Ik had er geen idee van, maar ik hoopte dat hij me kon vertellen wat er in Horville aan de hand was.

Plotseling zag ik rechts voor me beweging in het hoge onkruid dat welig tierde tegen de kerkhofmuur. Ik verwachtte één of ander griezelig, oud, vuil mannetje uit het onkruid te zien kruipen. Mijn verbazing was dan ook groot toen het om een vriendelijke, deftig geklede dame, met lang, blond krullend haar bleek te gaan. Ik schatte haar ongeveer even oud als mams.

Was zij diegene die me berichtjes had gestuurd? Het was nauwelijks te geloven.

Toen ze me naderde zag ik dat onder haar ogen, die schichtig om zich heen blikten, dikke wallen zaten. Haar tong likte nerveus over haar lippen.

Zonder zich voor te stellen, wees ze naar de grafzerk aan mijn voeten.

'Hier ligt mijn zoontje. En sinds eergisteren ook mijn man.'

Ik wist niet wat ik daarop moest antwoorden. Moest ik zeggen dat ik dat erg vond? Moest ik vragen hoe het met haar ging? Of moest ik onmiddellijk vragen waarom ze me wilde spreken?

Uiteindelijk zei ik niets en voerde zij verder het woord.

'Mijn man heeft geen zelfmoord gepleegd, Ella, hij is vermoord, wat ze ook zeggen.'

Door deze woorden besefte ik wie hier voor me stond. Het was de echtgenote van de man in het zwart, die me had geschaduwd sinds mijn komst in Horville.

Hoewel ik haar identiteit nu kende, wist ik nog steeds niet wat ik tegen deze vrouw moest zeggen of wat ik haar moest vragen. Daarom liet ik haar aan het woord.

'Je moet weg uit Horville, Ella. Zo snel mogelijk!'

De grijsgroene ogen van de vrouw drongen tot in mijn ziel.

'Daarom is mijn man gestorven, weet je', vertelde ze, 'omdat hij jou wilde waarschuwen.'

Haar ogen kregen een trieste uitdrukking en richtten zich naar de grond.

'Ik had hem nog zo gezegd om het niet te doen! Ik vond dat je je eigen hachje maar moest redden, meisje. Maar nu... nu heeft mijn leven geen zin meer. Het enige dat ik nog kan doen is jou helpen om uit Horville te vluchten. Maar dat is niet gemakkelijk. Ons is het niet gelukt.'

Ze richtte haar blik weer op mij, alsof ze een antwoord van me verwachtte, maar ze had niet eens een vraag gesteld. Bovendien had ze me nog niet gezegd om welk gevaar het ging. De wormen?

'Waarom moet ik vluchten? Wat is er hier gaande?' slaagde ik er in te vragen.

Mijn stem klonk als die van een zesjarige.

De vrouw wees met een breed handgebaar naar de vele zerken.

'Kijk eens om je heen, Ella. Kijk eens naar de graven! Valt het je niet op dat er de laatste dertig jaar slechts enkele volwassenen gestorven zijn? De voorbije dertig jaar worden er bijna alleen grafstenen voor kinderen geplaatst. Ik...'

De vrouw keek verschrikt over mijn schouder. Ik keek achterom en zag drie volwassen mannen het kerkhof oplopen. Ze namen niet de moeite om langs de besneeuwde kiezelpaadjes te rennen maar sprintten recht op ons af. Als hordelopers sprongen ze over de grafzerken.

Ik bleef als versteend staan en de vrouw pakte mij met beide handen bij de schouders vast en keek mij recht in de ogen.

'De burgemeester, Ella, hij heeft een pact gesloten met het Kwaad. Ga hier weg!'

Voor die woorden tot mij konden doordringen, vluchtte ze weg, maar ze was een makke prooi voor de drie mannen die tot op enkele meters genaderd waren. Ze sprongen naar haar toe. Twee grepen elk een been van de vrouw vast en de andere pakte haar vast bij haar middel.

Eén van hen richtte zich tot mij. Een kunstzinnig uitziend heerschap van middelbare leeftijd met een ringbaardje.

'Onze tante kan het verlies van haar echtgenoot niet aan. We brengen haar naar de dokter.'

Ik zag in zijn ogen dat hij loog, toch greep ik niet in toen de drie mannen de vrouw van het kerkhof droegen. Wat kon ik als klein meisje beginnen tegen drie volwassen kerels?

Ik hoorde autoportieren dichtslaan en even later het starten van de motor van een auto. De kerels reden weg met de vrouw.

[7] Jong of oud?

Vrijdagavond bracht ik een bezoekje aan het stadhuis om de burgemeester eens uitvoerig te ondervragen. Ik wilde hem aan de tand voelen over wat de vrouw op het kerkhof me had verteld. Ik keek niet uit naar de ontmoeting. Niet alleen omdat ik een afkeer had van de burgemeester, maar vooral vanwege de angst in de ogen van de vrouw toen ze het over de burgemeester had. Volgens haar had de burgemeester een verdrag gesloten met het Kwaad. Maar welk Kwaad? Zorgde dit Kwaad ervoor dat niemand uit Horville wegkwam? En hoe zat het met het feit dat er de voorbije dertig jaar bijna geen volwassenen meer gestorven waren in Horville? Hoe meer ik erover nadacht, hoe sneller mijn hart ging slaan.

Terwijl mijn bevende benen me langs het stadspleintje brachten, bedacht ik dat het niet zo slim van me was geweest om aan niemand iets te vertellen over mijn bezoekje aan de burgemeester. Als er iets met me gebeurde, was er geen levende ziel die wist waar ik was. Ook tegen Kika had ik gezwegen over wat er op het kerkhof was gebeurd. Het had me beter geleken om niemand bij mijn speurtocht te betrekken. Na mijn gesprek met de burgemeester kon ik nog altijd iemand op de hoogte brengen als ik dat nodig vond.

Een luid DING DONG galmde door het stadhuis toen ik op de bel drukte. Een knappe jonge vrouw, met lang, zwart haar schoof moeizaam de zware deur open.

'Goedenavond, juffrouw', begroette ze me hartelijk, 'wat kan ik voor je doen?'

'Ik ben Ella. Ik zou de burgemeester willen spreken.'

De jonge vrouw keek op haar polshorloge.

'Het is vijf over zeven. De zitting van het college is net begonnen.'

'Kan hij niet even tijd voor me vrijmaken?' vroeg ik.

'Dan zou je op zijn spreekuur moeten komen.'

'En wanneer is dat?'

'Donderdagavond.'

'Ik kan geen week meer wachten, mevrouw. Ik... ik moet voor een schoolopdracht de burgemeester interviewen over zijn beleid', zoog ik snel uit mijn duim.

'O. Ik wist niet dat dit in het lespakket zat.'

'Het is een vrije opdracht. Moet tegen maandag af zijn.'

'Ah, ik begrijp het.'

Ze tuurde naar de grauwgrijze lucht en leek na te denken wanneer de burgemeester zich dit weekend vrij kon maken voor mij.

'Kan ik niet even wachten tot de collegezitting afgelopen is?' drong ik aan.

'Oei. Die duurt soms tot negen of tien uur.'

'Geen probleem. Ik heb toch niets anders te doen.'

Ze weifelde even en zei toen: 'Het spijt me, meisje, bel morgenochtend maar naar het kabinet van de burgemeester om een afspraak te maken. Op zaterdagochtend zit daar iemand tot twaalf uur.'

Voor ik nog iets kon uitbrengen, had ze de deur al voor mijn neus dichtgeslagen. De onbeleefde trut!

Een ogenblik lang bleef ik op de drempel van het stadhuis staan, waarna ik besloot om mij niet zo gemakkelijk af te laten wimpelen.

Bij onze ontvangst in de raadzaal had ik wegwijzers naar de collegezaal gezien. Meer dan waarschijnlijk was het college daar nu aan het vergaderen. Als ik het me goed herinnerde was die zaal helemaal rechts achteraan in de gang. Het moest dus één van de zalen in de rechterhoek van het stadhuis zijn.

Ik sloop langs de buitenmuur van het stadhuis en tuurde door de vensters. De eerste twee lokalen waar ik binnenkeek waren leeg. In het derde lokaal zaten de burgemeester en de schepenen. Ik bukte me, zodat ze me zeker niet in de gaten zouden krijgen.

De burgemeester en de schepenen zaten rond een houten ovale tafel. Ik herkende hen alle vijf van de ontvangst op het stadhuis. Ook de vader van Kika ontbrak niet op het appel.

Ze waren verwikkeld in een toch wel heftige discussie. Waarover die ging kon ik niet horen, want de ramen zaten potdicht. In de zomer was het waarschijnlijk gemakkelijker om hun zitting af te luisteren, want dan zouden de ramen wagenwijd open staan. Nu zag ik alleen hun monden bewegen.

Hoe langer ik daar stond, hoe meer zin ik kreeg om te horen waarover ze het hadden. Dat leek mij nu nog belangrijker dan de burgemeester te spreken. De burgemeester zou me waarschijnlijk toch alleen maar wat leugens op de mouw spelden.

Als ik hun geheime zitting wilde afluisteren moest ik wel een manier vinden om binnen te raken.

Ik sloop naar de kleine achterdeur van het stadhuis, maar die zat muurvast. Ik wachtte enkele minuten, in de hoop dat iemand het stadhuis zou betreden of verlaten. Dan kon ik misschien ongezien naar binnen glippen. Het viel dik tegen, want de deuren bleven dicht.

Toen ik naar huis wilde teruggaan, merkte ik dat aan de linkerkant van het stadhuis een raam op een kier stond. Waarschijnlijk had een ambtenaar zijn kantoor willen ventileren en was hij na zijn werktijd het raam vergeten te sluiten. Wat ook de reden was dat het raam openstond, ik was er dankbaar voor.

Het probleem was dat het raam zich op de tweede verdieping bevond. Ik zou eerst een ladder moeten zien te vinden. Een voordeel was wel dat het openstaande raam zich aan de linkerkant van het gebouw bevond. Aangezien de schepenen en de burgemeester in een zaal aan de rechterzijde zaten zouden ze me niet kunnen zien.

Waar kon ik een ladder vinden? Ik keek om me heen en zag al vlug de boerenstal, zo'n honderd meter verderop. Ik liep ernaar toe en voelde aan de klink, maar de deur zat op slot. Ik zag niet meteen een voorwerp om de deur open te breken en daarom sloop ik naar de boerenstal van de volgende boerderij. Tot mijn opluchting kon ik daar wel naar binnen, maar na een zoektocht van enkele minuten moest ik vaststellen dat er geen ladder stond. Als het zo verder ging kwam ik het stadhuis nooit binnen!

Ik liep nog tweehonderd meter verder omdat daar een klein stalletje was. Op hoop van zegen duwde ik tegen de houten deur, want een deurklink was nergens te bespeuren. De deur zwaaide naar binnen. Het stalletje lag barstensvol rommel. Mijn mondhoeken gingen de hoogte in toen ik zag dat tegen de achtermuur een ladder stond.

Maar mijn vreugde sloeg om in paniek toen ik buiten voetstappen hoorde. Ik hoopte dat de voetstappen al snel een andere richting zouden uitgaan, maar mijn hoop ging niet in vervulling. Plotseling werd het deurtje hardhandig opengeduwd. De deur vloog tegen de muur. Met bonkend hart dook ik weg achter een rechtopstaande kruiwagen. Door een klein gaatje in de roestige bak kon ik diegene die was binnengekomen bekijken. Het ging om een dikke oude boerin. Op haar hoofd droeg ze een rode sjaal met witte stippen. Ze leek me niet een van de snelsten. Als ze me zag en ik het op een lopen zette, zou ze me zeker niet kunnen inhalen. Het probleem was alleen dat ze zo dik was dat ze de hele uitgang blokkeerde. Ik zou nooit ongestraft langs haar komen. De boerin kwam naar me toe alsof ze wist waar ik zat. Net voor ze me bereikte, draaide ze zich naar rechts. Ze bukte zich en pakte een stapel plastic emmers. Ze maakte daarbij rochelende en snuivende geluiden. Ademde ze altijd zo? Of was haar conditie zo slecht dat het oppakken van emmers voor haar al een heel karwei was?

Het kon me weinig schelen, het enige waar ik om gaf was dat ze zo vlug mogelijk weg was. Ze willigde mijn wens in en slofte op haar houten klompen de stal uit. De deur liet ze wagenwijd open staan. Dat deed me vermoeden dat het niet lang zou duren eer ze terug kwam.

Ik kroop vanachter de kruiwagen, liep naar de deuropening en keek om me heen. De boerin was nergens te bespeuren. Waarschijnlijk was ze het huis binnengelopen.

Ik was in tweestrijd. Moest ik zo snel mogelijk maken dat ik wegkwam of nam ik de ladder mee? Mijn benen keerden zich op hun stappen terug en deden me naar de muur lopen. Mijn handen grepen de ladder vast. Met al de kracht die in mijn tengere lijf zat kon ik de ladder opheffen en de stal uit dragen.

Zo snel ik kon – en dat was niet heel snel – draafde ik naar het stadhuis. Ik verwachtte elk ogenblik achter me de boerin te horen roepen, maar toen ik vermoeid het stadhuis bereikte, had ik haar stem nog steeds niet gehoord.

De laatste meters voelde ik mijn krachten slinken en kon ik de ladder niet meer dragen. Ik pakte hem bij het uiteinde vast en sleepte hem achter mij aan. Uiteraard lette ik op dat ik op geen enkel ogenblik in het gezichtsveld van de leden van het college kwam.

Met een krachttoer, die al mijn arm- en rugspieren deed trillen, slaagde ik er in om de ladder tegen de gevel te plaatsen, tot een halve meter onder het openstaande raam. Nadat ik de vermoeidheid van me had afgepuft, kroop ik de ladder op. Ik besefte dat ik een groot risico nam, want als iemand me zag als ik eenmaal op de ladder stond, was ik een vogel voor de kat. Ik moest op de bovenste trede gaan staan om bij het raam te kunnen. Ik wilde het raam helemaal openduwen, maar dat lukte niet. Dat ging alleen met de hendel, en die zat uiteraard aan de binnenkant.

Ik was nu zover gekomen dat ik niet wilde opgeven. Als een slang wrong ik me tussen het raamkozijn en het raam. Daarbij schaafde ik mijn schouders, ellebogen, heupen en dijbenen. Ik zag er nog slechter uit dan Kika nadat ze in het bos van haar fiets was gedonderd. Toch slaagde ik erin om binnen te komen en dat was het belangrijkste.

Ik kwam terecht in een berghok. Ik nam niet de tijd om uit te blazen, maar liep meteen het muffe hok uit. Op de overloop daalde ik muisstil de trap af.

Voor zover ik wist waren enkel de leden van het college en de secretaresse van de burgemeester aanwezig in het stadhuis, maar toch hield ik er rekening mee dat er ook anderen binnen konden zijn.

Ik volgde de wegwijzers naar de collegezaal. Deze bevond zich achterin de lange gang, die uitkeek op de hal. Zoals ik van buiten al had kunnen zien, bevond de zaal zich achter de laatste deur aan de rechterkant. De deur zat niet op slot.

Ik zette hem voorzichtig op een kiertje en gluurde naar de vier schepenen en de burgemeester die rond de tafel zaten.

Ze hadden het over de verdeling van de subsidies voor verenigingen en andere onderwerpen die me niet konden boeien. Had ik daarvoor zoveel risico's genomen en mijn tere velletje geschaafd? Ik begon er steeds meer spijt van te krijgen.

Toch legde ik mijn oor nog even te luisteren, terwijl mijn ogen over de vele schilderijen gleden die in de hal aan de wand hingen. Links prijkten de portretten van alle burgemeesters die in Horville de scepter hadden gezwaaid. Op een gouden bordje stond dat ze allemaal op doek waren vastgelegd bij het begin van hun termijn als burgemeester.

Jean Catruysse. Dat was de naam van de huidige burgemeester. Boven het schilderij stond op een gouden plakkaatje dat hij in 1972 burgemeester was geworden. Dat was ruim 35 jaar geleden. Op zich was dat niet zo merkwaardig. Wel vreemd was het feit dat de burgemeester er op het portret exact hetzelfde uitzag als nu. Het was alsof de burgemeester in al die jaren geen dag was verouderd. Het was uiteraard mogelijk dat de toenmalige schilder de burgemeester nogal oud had geportretteerd. Toch was dat onwaarschijnlijk, want als hij nu zestig jaar was, dan moest hij vijfentwintig geweest zijn bij het begin van zijn burgemeesterschap. De figuur die op doek was vastgelegd, was absoluut geen jonge knaap van vijfentwintig. De meest voor de hand liggende verklaring was dat de burgemeester zijn portret van vijfendertig jaar geleden beu was en daarom onlangs een nieuw had laten schilderen.

Net toen ik wilde terugkeren naar het berghok, startte de burgemeester een nieuw agendapunt.

'En dan het belangrijkste punt van vandaag. Het bevolkingsaantal in ons stadje.'

'We moeten een campagne opzetten om meer gezinnen met jonge kinderen hierheen te lokken', stelde één van de schepenen voor.

'Je hebt gelijk', beaamde de burgemeester. 'Nu hebben we het geluk dat we mevrouw Geynders en haar dochter hebben kunnen aantrekken, maar we moeten het grootschaliger zien.'

Ze hadden het over mams en mij! Ik kon mijn oren haast niet geloven.

'Absoluut', beaamde een andere schepen. 'We zitten nu al aan de dertien jarigen. Binnen een paar jaar moeten we zelfs volwassenen gaan afstaan!'

Volwassenen afstaan. Waar sloeg dat op?

'Dat is dan beslist', sloot de burgemeester af. 'We denken allemaal na over manieren om jonge kinderen naar ons stadje te lokken, zonder dat het in de buitenwereld opvalt. Volgende week wil ik van iedereen minstens drie voorstellen horen.'

'En hoe zit het met dat meisje? Hoe zorgen we ervoor dat ze zaterdag hier is?' vroeg een schepen aan de burgemeester.

Niet de burgemeester, maar Kika's vader antwoordde.

'Dat is geen probleem meer. Ik heb mijn dochter horen vertellen dat Ella's vader haar dit weekend niet kan komen halen.'

'Mooi zo!' grijnsde de burgemeester.

'Wordt het niet eens tijd dat je je dochter eindelijk de waarheid vertelt?' vroeg één van de schepenen aan Kika's vader.

'Ja', viel een andere schepen hem bij, 'naast de achterlijke zoon van Doris, is Kika de enige in Horville die niet weet wat er hier gebeurt. Dat kan gevaarlijk zijn.'

'Gevaarlijk? Waarom?' vroeg de vader van Kika. 'Het is een lief meisje, dat alles doet wat we haar vragen.'

'Ze trekt veel te veel op met die Ella', kaatste de schepen terug.

'En wat dan nog? Het is toch de bedoeling dat Ella hier blijft tot zaterdag? Als Ella een vriendin heeft zal ze minder geneigd zijn om weg te lopen.'

'Daar heb je een punt, Arnold', gaf de burgemeester toe. 'Laat ons trouwens geen problemen zoeken waar ze niet zijn. Voor zaterdag is alles in orde en dat is nu het belangrijkste!'

'Ella?'

Ik wipte omhoog toen ik de stem van de secretaresse van de burgemeester achter me hoorde. Mijn harte wipte met me mee en bleef bonzend in mijn keel steken.

'Hoe kom jij hier?'

Ik was niet op mijn mondje gevallen maar hiervoor kon ik geen aanvaardbare uitleg verzinnen, daarom deed ik het enige wat ik op dat moment kon doen: ik zette het op een lopen. Daarbij duwde ik de secretaresse opzij zodat de weg naar de voordeur openlag. Het had nu geen enkele zin om via de ladder proberen te ontsnappen.

Achter me weerklonk het getik van de naaldhakken van de secretaresse. Toen ik de zware deur bereikte, duwde ik er tegen met alle kracht die in me zat. Tot mijn opluchting gaf de deur mee en ging hij open. Ik sprintte naar buiten. Miljoenen sneeuwvlokken dansten om me heen in de donkere avondlucht.

•

Mijn trillende handen omklemden een warme kop chocolademelk. Af en toe nipte ik aan de rand van de mok, die door de opwarming in de magnetron zo heet was dat ik mijn vingertoppen en lippen bijna verbrandde.

Kika zat naast me op haar bed. Ik had haar net verteld wat er zich op het kerkhof had afgespeeld en dat ik naar het stadhuis was gegaan om de burgemeester te spreken. Verder was ik niet gekomen, mijn keel zat dichtgesnoerd. Daarom had Kika voor me chocolademelk klaargemaakt. Ze hoopte dat de zoete, warme vloeistof me een beetje tot rust zou kunnen brengen.

'Vertel nu eens wat er precies is gebeurd in het stadhuis.'

'Ik... ik weet niet of je dat wel wilt horen.'

'En waarom niet?'

'Nou ja, je vader was daar ook.'

'Voor de collegezitting, dat weet ik. Maar wat heeft hij ermee te maken?'

Ik gaf niet direct antwoord op haar vraag, maar begon van voor af aan.

'Toen ik het stadhuis binnenkwam, was de collegezitting al bezig. Van de secretaresse van de burgemeester mocht ik niet naar binnen. Maar je kent mij Kika, ik laat me niet zomaar afschepen. Ik ben via een ladder het stadhuis binnengedrongen.'

Kika sloeg beide handen voor haar mond alsof ik een enorme misdaad had begaan. Ik wist niet goed hoe ik het volgende moest aankleden. Ik nam een iets te grote slok van de chocolademelk en verbrandde het puntje van mijn tong. Ik verbeet de pijn en vertelde verder.

'Ze spraken over vreemde dingen in het college. Over het dalende bevolkingsaantal. Over jonge kinderen die ze naar Horville willen lokken. En ook over mij. Dat ze mij zaterdag voor iets nodig hebben. Ik begreep het niet allemaal, maar er moet een groot geheim zijn, Kika. En alleen de inwoners van Horville weten ervan. Een paar uitgezonderd.

Ik keek Kika veelbetekenend aan.

'Zoals ik', besefte ze.

Ik knikte haast onmerkbaar.

'De andere schepenen waren kwaad op je vader omdat hij je nog altijd de waarheid niet heeft verteld.'

Kika keek me ongelovig aan.

'Ik weet het, het klinkt allemaal vreemd,' gaf ik toe, 'maar het is echt wat ik heb gehoord.'

Mijn nieuwe vriendin staarde me een tijdje onbewogen aan.

'Ik geloof je wel', zei ze uiteindelijk. 'Door jou ben ik de laatste week beginnen in te zien dat er iets niet pluis is in Horville. Zowel met het stadje als met ons, de inwoners. En ik heb het niet alleen over de wormen, Ella, er is meer. Dingen... dingen die jij niet weet en waarvan ik nu begin te beseffen dat ze niet normaal zijn.'

'Zoals?' vroeg ik nieuwsgierig.

'Het is misschien onnozel, maar ik heb zitten peinzen over het feit dat jij naar de kapper moet en ik niet.'

'Hoezo? Iedereen moet toch naar de kapper? Behalve een kletskop.'

We lachten geen van beide.

'Nee, Ella, in Horville gaat niemand naar de kapper.'

'Omdat er geen kapper is.'

'Nee, omdat ons haar niet groeit!'

'Kom op, Kika, dat is toch nonsens.'

Maar terwijl ik Kika's woorden betwijfelde, zwierven mijn gedachten onwillekeurig naar het portret van de burgemeester.

'Het portret van de burgemeester', zei ik hardop voor ik het zelf besefte.

'Wat is daarmee?' vroeg Kika.

'Hij... hij ziet er nog even oud uit als vijfendertig jaar geleden. Het lijkt wel of hij geen dag verouderd is.'

Toen stelde Kika mij een vraag, die mij de angst op het lijf joeg.

'Verouderen? Wat is dat?'

Ik kon niets uitbrengen. Even hoopte ik nog dat ze een grapje maakte, maar ze bleef me onbewogen aanstaren, haar ogen smekend om de waarheid.

'Nou...', zei ik aarzelend. 'Iedereen veroudert toch. Eerst ben je een kind en daarna word je ouder en als je heel oud bent, sterf je.'

'Echt?' vroeg ze ongelovig. 'Sterven doe je toch alleen als je een ongeval of zo hebt?'

Ik schudde het hoofd.

'Dan... dan is er hier in Horville iets helemaal mis, Ella, want hier blijft iedereen altijd even oud.'

'Dat kan toch niet. Jij...'

'Ik, Ella, ik... ik ben al zolang ik me kan herinneren dertien jaar. Ik dacht... ik dacht dat dit zo hoorde. Dat iedereen altijd even oud bleef.'

'Dit is krankzinnig, Kika!' bracht ik uit.

'Dan... dan is mijn droom geen droom, maar echt gebeurd', realiseerde Kika zich.

'Welke droom?'

'Soms droom ik dat ik een klein meisje ben. Van een jaar of zeven. In de droom wil ma mijn teennagels knippen en ik schater het uit van het lachen omdat het teveel kietelt. Maar ik... ik vermoedde altijd dat het maar een droom was, omdat ik me niet herinner dat ik ooit jong ben geweest. Bovendien hoeven mijn nagels helemaal niet geknipt te worden.'

Ik wist niet wat ik met deze informatie aan moest. We bleven een tijdje stilzwijgend naast elkaar zitten. Uiteindelijk begon Kika haar hoofd te schudden.

'Mijn hele leven is een leugen, Ella. Maar waarom? Wat

is er zo verschillend aan Horville dan aan de rest van de wereld?'

Dat vroeg ik me ook af. Samen met duizenden andere vragen warrelde deze vraag als een ongrijpbare sneeuwvlok rond in mijn hoofd. Hoe was het mogelijk dat niemand ouder werd? Waarom stierven er zo weinig mensen? Waarom waren er geen kleuters en peuters in Horville? Kika en ik waren zowat de jongste kinderen in Horville. Welk pact had de burgemeester met het Kwaad gesloten? En waarvoor hadden ze me zaterdag nodig?

Veel vragen, maar het enige dat ik kon uitbrengen was: 'Daarom kunnen jullie zo goed antwoorden op alle vragen op school. Jullie krijgen elk jaar dezelfde leerstof!'

'Ik ben een dom wicht', zei Kika. 'Waarom heb ik niet ingezien dat het leven hier niet normaal is?'

'Omdat dit voor jullie wel normaal is, Kika. Het is aanvaard door de hele gemeenschap, dus waarom zou jij het niet aanvaarden? Het heeft trouwens geen zin om nu te tobben. Wat voorbij is, is voorbij, de toekomst hebben we zelf in handen.'

Ik moest bijna lachen om mijzelf omdat ik zo oud en wijs klonk. Ik leek mams wel. Bwèèèkh!

'Wat moeten we nu doen, Ella?'

'We moeten hier weg!'

'Je hebt gelijk.'

Ik keek Kika doordringend aan.

'Je weet toch dat je je ouders nooit meer zal terugzien als je met mij vlucht?'

'Dat kan me niets schelen, Ella. Ik wil een normaal leven.'

Ik hoopte dat Kika ooit een normaal leven zou kunnen leiden. Wat als ze voor altijd dertien jaar bleef?

'We halen eerst mams op', stelde ik voor.

'En als die ons niet gelooft en niet met ons mee wil?'

'Dan gaan we er alleen vandoor.'

We omhelsden elkaar als twee hartsvriendinnen en dat was precies wat we waren geworden na alles wat er was gebeurd. Omdat de tijd drong, verbraken we onze omhelzing al heel vlug. Samen liepen we naar mijn huis. O, wat hoopte ik dat mams ons zou geloven.

[8] Voedsel of offer?

Met een krachtig gebaar duwde ik de voordeur van onze kleine *cottage* open.

'Mams!' wilde ik roepen, maar de letter 'M' bleef op mijn lippen plakken.

Als aan de grond genageld bleef ik in het deurgat staan, met open mond gapend naar het tafereel in de woonkamer. Stijve, ijskoude vingers omknelden mijn hart. Tot mijn verbazing viel ik niet flauw.

Hoewel ik volledig werd opgeslorpt door wat er zich voor mijn ogen afspeelde, zag ik in mijn ooghoek dat Kika me niet naar binnen volgde, maar net op tijd wegdook tegen de buitenmuur. Ook zij moest in een oogopslag de situatie overzien hebben. Ik vond het bewonderenswaardig dat ze in deze omstandigheden nog de kracht vond om opzij te springen. Ik kon mijn tenen niet eens meer bewegen.

In onze woonkamer stonden de burgemeester en de vier schepenen zij aan zij naast de bank. Hun ogen waren naar de deur gericht, alsof ze me hadden staan opwachten. Maar het beeld dat me zo erg schokte en dat voor altijd in mijn netvlies gegrift zou staan, was mijn moeder die op de bank zat, haar ogen wijdopen gesperd, vervuld van doodsangst. En ik kon maar al te goed begrijpen waarom ze zo bang was. Drie dikke wormen slingerden rond haar lichaam en kluisterden haar vast aan de bank. Een vierde, veel dunnere worm, glibberde heen en weer over haar gezicht en liet een slijmspoor achter, waardoor het leek alsof mams haar gezicht in een pot stroop had gestoken.

Toen ik de heen en weer zwiepende beesten beter bekeek, begon ik me af te vragen of dit wel aardwormen waren. De meeste waren niet alleen veel te dik, maar bovendien waren hun vadsige lijven bezaaid met duizenden kleine zuignapjes. Ook zag ik nu dat de vieze beesten wel een einde hadden, maar geen begin. De slijmerige lijven kronkelden over de bank en strekten zich uit over de hele lengte van de woonkamer. Aan de linkerkant was een venster aan diggelen geslagen, waar de vier beesten doorhingen.

Het viel me ook op dat de vier lijven in harmonie samen rondslingerden, alsof ze gecommandeerd werden door hetzelfde wezen. Dit waren geen vier aparte lijven, maar tentakels van één en hetzelfde wezen! Van een octopus? Ik had in elk geval nog nooit gehoord van het bestaan van een dergelijke reusachtige inktvis. Wat was het wezen dan wel?

'Je moet niet bang zijn, Ella,' grijnsde de burgemeester. 'Het zal je moeder niets doen.'

Ik ging zo op in het schouwspel dat de woorden van de burgemeester nauwelijks tot me doordrongen.

'Ella, Ella…. Het was onze bedoeling om je tot zaterdagavond met rust te laten. Maar jij moest zo nodig je neus in onze zaken steken. Daarom grijpen we ietsje vroeger in, nietwaar Arnold?'

Kika's vader knikte.

'Inderdaad, burgemeester.'

'Wat moeten jullie verdomme van mijn moeder en mij?'

Ik had pas door dat ik schreeuwde toen ik mijn eigen woorden door de ruimte hoorde galmen.

'Van je moeder niets. Zij wordt gewoon even tegengehouden omdat ze het oneens was met mij. En van jou? Nou ja, van jou hebben we enkel je leven nodig!'

'Jullie willen me vermoorden? Waarom dan toch?'

Het was alsof ik mezelf van een afstand hoorde praten, alsof mijn geest gescheiden was van mijn lichaam en rondwaarde in de ruimte. Ik had geen gevoel in mijn lichaam. Het verwonderde me dat ik niet ter plekke in elkaar zakte. De burgemeester richtte zich tot de schepenen.

'We hebben wel even tijd om haar de waarheid te vertellen, nietwaar beste collega's?'

De schepenen durfden niet tegen de burgemeester in te gaan en knikten volgzaam.

'Misschien kun je beter even gaan zitten, Ella.'

Omdat ik niet bewoog, wenkte de burgemeester Kika's vader.

'Kan je haar even helpen?'

Arnold duwde tegen de voordeur die nog steeds wagenwijd openstond, maar hij viel niet in het slot. Daarna pakte hij me bij de schouders vast. Gewillig liet ik me door Kika's vader naar de andere bank begeleiden, die recht tegenover de bank stond waarop mams gevangen zat.

Terwijl ik naar de uitleg van de burgemeester luisterde, slaagde ik er niet in om mijn ogen af te wenden van de viezige, vette tentakels die rond mams glibberden.

'Heb je goed opgelet hier op school, Ella?' vroeg de burgemeester.

Ik bewoog niet. Ik kon helemaal niet bewegen. Ik moest in shock zijn. Ik vond het wel vreemd dat ik me dat zelf realiseerde, maar toch was het zo.

'Wel, als je goed hebt opgelet in de klas dan zal je wel weten dat er in 1974 een meteoriet is neergestort in Horville. Wat de leraar er niet bij heeft verteld, is dat die meteoriet niet het enige was dat uit de lucht viel. Er was een levend organisme aan vastgehecht. Dat beseften we pas toen het wezen contact met ons opnam. Via telepathie. Het heeft geen woorden nodig om te communiceren, het laat je aanvoelen wat het wil. Het voorstel dat het wezen ons toen deed konden we echt niet aan ons laten voorbijgaan, nietwaar beste collega's?'

De schepenen gaven de burgemeester gelijk met een korte hoofdknik.

'Het buitenaardse wezen beloofde om alle inwoners van Horville het eeuwige leven te schenken. Voor mijzelf was dat het mooiste cadeau dat ik op dat moment kon krijgen, want de dokters hadden me net verteld dat ik ongeneeslijk ziek was. Longkanker.'

De uitleg van de burgemeester klonk helemaal niet geloofwaardig, maar ik besefte maar al te goed dat hij de waarheid sprak. Het verklaarde een heleboel dingen die ik had meegemaakt in Horville. Aan de glinsterende ogen van de burgemeester merkte ik dat hij me nog meer wilde vertellen.

Terwijl hij sprak, kwam ik stilaan weer bij mijn positieven. Mijn geest keerde terug naar mijn lichaam en ik kon opnieuw helder nadenken.

'Als burgemeester nam ik de beslissing om het geschenk van het wezen te aanvaarden. Maar uiteraard vroeg het iets in ruil. Eerlijk is eerlijk. En het enige wat het van ons vroeg was voedsel, voedsel om te kunnen overleven. Het wezen vroeg ons om elk kwartaal, vier maal per jaar, een inwoner te schenken. De jongste inwoner!'

'Waarom moest het mensen hebben? Had het dan koeien en paarden gegeven!'

'Daar nam het geen genoegen mee.'

Ik moest aan Storm denken, want ik was er van overtuigd

dat mijn hamster wel door het wezen was opgegeten. Ik vroeg me af waarom. Ik probeerde er niet over na te denken, want het bezorgde me teveel verdriet.

'Waarom de jongste?' vroeg ik.

'Dat doet er toch niet toe?' antwoordde de burgemeester. 'Het wezen schenkt ons het eeuwige leven, dan mag het in ruil toch wat voedsel vragen!'

'Voedsel?' Ik spuwde het woord uit. 'Een mens is geen voedsel! Jullie brengen dat wezen offers!'

'Offers, voedsel. Hoe je het ook noemt, het wezen heeft er recht op.'

Ik zag in dat de burgemeester, het bestuur, en waarschijnlijk ook de hele gemeenschap van Horville een lap voor ogen werd gehouden door het buitenaardse schepsel. Het terroriseerde hen. Zagen ze dat dan niet in? Ik was er haast van overtuigd dat het gedrocht de jongste inwoner wilde om te tonen dat het de baas was in Horville. Het had het stadje en de inwoners volledig in zijn macht. Ze lieten het wezen maar begaan omdat ze zo het eeuwige leven hadden.

'Ik begrijp niet dat jullie die veel te groot uitgevallen octopus gehoorzamen!' zei ik.

De ogen van de burgemeester schoten vuur.

'Octopus? Hoe durf je zoiets te beweren! Je hebt zelfs nog nooit de eer gehad om het te mogen zien! Het wezen is reusachtig en machtig. En het heeft niet acht, maar honderden tentakels. Het leeft ondergronds en strekt zich uit onder heel Horville! Het is een wezen dat we moeten aanbidden, Ella! En dat doen we dan ook hier in Horville. Het is een geschenk uit de hemel.'

'Een vergiftigd geschenk, ja!'

De burgemeester negeerde die opmerking en stelde me een vraag.

'Weet je wie momenteel de jongste inwoner in Horville is, Ella?'

Ik dacht erover na. Dat moest één van de leerlingen zijn die in mijn klas zaten. Al vlug besefte ik wat het antwoord was.

'Ik?'

'Juist, Ella, jij. Jij bent ons volgende... offer, zoals jij dat noemt. Zaterdag om middernacht zal het wezen jou tot zich nemen.'

'Daarom hebben jullie mams en mij hier naartoe gelokt! En daarom willen jullie nog meer jonge kinderen naar jullie achterlijke stadje lokken!'

'Inderdaad Ella, al vind ik ons stadje helemaal niet achterlijk. Wij willen onze eigen inwoners, die hier al van voor 1974 wonen, sparen. Sinds 1974 hebben we al meer dan 130 van onze eigen kinderen moeten laten gaan. Nu is het genoeg geweest. Nu moeten nieuwe inwoners als voedsel dienen.'

'Ik dus.'

'Ja, Ella, jij. En gun jij je moeder het eeuwige leven niet? Want dat krijgt ze als ze hier blijft wonen. Als ze niet teveel opschudding veroorzaakt tenminste. Acties zoals de ouders van Jurgen ondernamen, kunnen we niet tolereren!'

De ouders van Jurgen. Dat moesten de man en vrouw zijn die me hadden benaderd!

'Maar... hoe heb je hen kunnen uitschakelen als ze net zoals jullie het eeuwige leven hebben?'

'Nou ja, het eeuwige leven is misschien wat overdreven. Niemand in Horville wordt ouder en er zal ook niemand van ouderdom sterven. Maar tegen een *ongeluk* kan zelfs het wezen ons niet beschermen.'

Terwijl ik zag hoe de tentakels rond het lichaam van mams glibberden, zette ik in mijn hoofd alles op een rijtje. Alles wat ik voorheen had gezien en ontdekt, paste volledig in de uitleg van de burgemeester. De inwoners hadden al die jaren hun kinderen geofferd, maar nu ze aan de dertienjarigen zaten, vonden ze dat de tijd was aangebroken om kinderen van buiten Horville aan de buitenaardse octopus te offeren. Waarom zagen deze mensen niet in dat ze niets meer in de melk te brokkelen hadden? Het wezen zwaaide hier de scepter! Het leven van de inwoners stond volledig in het teken van het buitenaardse gedrocht.

Ik besefte nu ook waarom ze een ster als symbool gebruikten. Een ster verwees naar het heelal, de thuisbasis van het buitenaardse schepsel. Zelfs de pastoor was niet langer een aanhanger van het christendom, maar zijn geloof stond nu in het teken van het wezen.

'Jullie zijn bang van de octopus', wierp ik op.

'Het is geen octopus en we zijn helemaal niet bang!' ontkende de burgemeester.

'O, natuurlijk wel! Jullie zijn dat pact met het wezen niet alleen aangegaan om eeuwig te kunnen leven, maar ook omdat jullie bang waren dat het jullie allemaal zou oppeuzelen als jullie niet op het voorstel ingingen.'

Voor de eerste keer sinds de burgemeester aan het vertellen was, wendde hij zijn blik van me af. Daardoor wist ik dat ik het bij het rechte eind had.

'Waarom laten jullie je terroriseren?'

'Dat doen we niet! Het wezen zorgt voor ons. Denk je dat we die offers graag brengen, Ella? Denk je dat echt? Denk je dat het geen pijn doet om je kleinzoon te zien sterven?'

Het was de eerste keer dat de burgemeester zijn gevoelens liet blijken. Ik had niet gedacht dat hij een hart had.

'Waarom denk je dat de inwoners een uitgeverij van kinderboeken zijn begonnen? We missen het gejoel van kleuters

en peuters, Ella, maar we beseffen wat het belangrijkste is.'
'Een buitenaards wezen! Mooi is dat!' sneerde ik.
De emotionele bui van de burgemeester was ineens over en hij liep rood aan van woede. Het scheelde geen haar of hij was naar me toegelopen om me een oplawaai van jewelste te verkopen.
'Weet je wie geofferd zou worden als jij hier niet was komen wonen, Ella?'
Ik schudde mijn hoofd, terwijl ik in gedachten weer alle leerlingen van mijn klas naliep. Doordat de burgemeester naar Kika's vader keek, wist ik het antwoord.
'Kika...'
'Ja, Ella, Kika was normaal gesproken de volgende.'
Op dat ogenblik werd de voordeur zo hard opengeduwd dat hij bijna uit zijn hengsels vloog. Ik keek over mijn schouder en zag Kika in het deurgat staan. Ze keek haar vader woedend aan.
'Dikke vuile leugenaar!' schreeuwde ze. 'Voer me maar aan dat gedrocht! Ik wil hier geen seconde meer leven!'
Net zoals de burgemeester en de schepenen, was ik verrast door de plotse uitval van Kika. Maar omdat ik wist dat zij zich buiten had verscholen, was ik toch iets minder onder de indruk dan de anderen. Ik maakte van de situatie gebruik en veerde van de bank overeind. Het verbaasde me dat ik niet als een mislukte cake in elkaar zakte.
Ik duwde Kika naar buiten, en nam haar mee de vrieskou in. Het deed pijn om mams achter te laten maar het was onbegonnen werk om haar te bevrijden.
De hevige sneeuwval belemmerde ons het zicht, maar dat speelde ook in ons voordeel, omdat de burgemeester en de schepenen ons moeilijk zouden kunnen volgen.
Toen we zo'n tweehonderd meter gesprint hadden, merkte

ik dat nog steeds niemand de achtervolging had ingezet. Ze moesten er wel heel zeker van zijn dat we toch niet konden ontsnappen.

'Wat nu?' hijgde Kika toen ik in het midden van de hoofd- straat bleef staan.

Ik greep in mijn broekzak naar mijn gsm, maar voelde hem niet. Er zat enkel een zakdoek in.

'Verdomme!'

'Wat is er?'

'Ik ben mijn gsm ergens verloren. Misschien op de bank, of in de sneeuw. We kunnen niemand om hulp vragen.'

'We zijn een vogel voor de kat, Ella.'

'Zo mogen we niet denken, Kika. We gaan naar Herevene- gem. Daar zullen ze ons wel helpen.

'En je moeder?'

'Die kunnen we nu niet redden. Dat moet de politie van Herevenegem doen.'

We holden door de sneeuw en gleden meerdere keren uit op het gladde wegdek, maar kropen telkens opnieuw over- eind en liepen de richting van het bos in.

Ik vroeg me af of we het zouden redden. Het was een heel eind door het bos en als er geen bus was moesten we een wel heel grote afstand overbruggen. Maar we hadden geen andere keuze. We moesten vluchten.

•

Terwijl we renden, keek ik om me heen of er nergens een fiets buitenstond. Dan zouden we heel wat sneller kunnen vluchten. Het verbaasde me niet echt dat er nergens een fiets te bespeuren viel. Het was laat en het had gesneeuwd. Kika's fiets gaan halen was ook geen optie, want dan liepen we recht in de armen van de burgemeester en de schepenen. Blijven hollen was het enige wat we konden doen.

Terwijl we naar het bos liepen, vroeg ik me af waarom het buitenaardse wezen de hulp van de inwoners van Horville had ingeroepen. Het monster leek me sterk genoeg om zelf de inwoners op te peuzelen, zonder dat het daarbij hulp nodig had. Het was nog één van de vragen waar ik mee worstelde. Toen we de rand van het bos naderden, vertraagden we het tempo. Dat had alles te maken met het duistere bos dat er heel afschrikwekkend uitzag. Aan de rand van het bos stonden de laatste lantaarnpalen en daarachter lag een donkerte, die ons als een hongerig dier leek op te wachten.

Kika en ik hielden allebei de pas in toen er uit het bos iets opdook. Een wezen. Het had één gloeiend oog en stapte heel traag, schuifelend haast, alsof het toch geen moeite zou moeten doen om ons te grazen te nemen.

Toen het wezen naderde en zijn fonkelende oog de omgeving een beetje verlichtte, merkten we dat het helemaal geen monster was. Het was Victoria. Het oude vrouwtje grijnsde toen ze ons zag. Het "brandende oog" was de lantaarn die ze vasthield.

'Zo'n avondwandeling doet een mens goed', zei ze. 'Ik heb jullie toch niet laten schrikken?' vroeg ze toen ze onze angstige gezichten zag.

We bleven doodstil staan en toen ze ons beter bekeek, zag ze dat er wel degelijk iets aan de hand was. Haar gezicht verloor zijn uitstraling en ze keek ons bezorgd aan.

'Gaat het wel met jullie? Wat is er?'

Hoewel ik me afvroeg hoe dit oude vrouwtje ons zou kunnen helpen, was ik blij om haar hier aan te treffen. Ik wilde zo beknopt mogelijk vertellen in welke gevaarlijke situatie we ons bevonden, maar de woorden bleven in mijn keel steken omdat ik zag hoe er plots een dikke boomstam uit de besneeuwde grond schoot, net onder de voeten van Victoria. De oude vrouw werd verbaasd omhoog gekatapulteerd en slaakte een hoge gil.

Ik deinsde achteruit en schoof onderuit. Op mijn achterwerk gleed ik vooruit in de sneeuw, tot tegen de stam. Nu pas zag ik dat de stam kronkelde. Dit was helemaal geen boom maar een tentakel van de buitenaardse inktvis.

Victoria kwam een paar meter verder hard op de grond neer, de lantaarn viel uit haar handen en doofde toen ze in het struikgewas viel. De straatlamp wierp haar licht op de oude vrouw. Haar ogen waren gesloten en haar hoofd stond in een rare hoek op haar schouders. Ik kneep mijn ogen hard dicht toen ik besefte dat ze dood was. Hoewel ik het oude vrouwtje niet echt goed kende, had ik sinds onze ontmoeting in de parochiezaal al sympathie voor haar gehad.

Mijn ogen schoten open toen ik de aarde onder me voelde trillen. De beving werd veroorzaakt door tientallen tentakels, zowel dikke als dunne, die links en rechts van me als geisers uit de grond schoten. De dingen kronkelden en zwiepten alle kanten uit.

Kika hielp me overeind en trok me weg van de tentakel waarmee ik in aanvaring was gekomen, maar we bleven stokstijf staan toen er nog meer tentakels uit het besneeuwde oppervlak schoten. De glibberige, slijmerige grijparmen waren overal. Achter ons, voor ons, naast ons. Het waren er minstens honderd. We konden geen kant op.

Verstijfd van de schrik leunden we tegen elkaar.

'Ella…' hijgde Kika angstig in de hoop dat ik wist hoe we hier weg moesten komen.

'Slalommen', fluisterde ik. 'We moeten proberen ze te ontwijken. We gaan allebei via een andere kant.'

'Onmogelijk', wierp Kika op.

'Hier blijven staan haalt ook niets uit!'

Gelijktijdig zetten we het op een lopen. Ik ontweek de eerste tentakel van links en Kika via rechts. Ik kwam nog geen meter ver. De dichtstbijzijnde grijparm zwiepte mijn richting uit en wikkelde zich als een slang rond mijn lichaam. Het perste al de lucht uit mijn longen. Ik wilde om hulp roepen, maar kon niets uitbrengen. Trouwens, had ik het wel kunnen uitschreeuwen, dan was er niemand die me had kunnen helpen.

Terwijl de tentakel me hoog de lucht in tilde en me steeds steviger omklemde, werd het zwart voor mijn ogen. Door een waas van duisternis zag ik hoe Kika ook door de lucht zweefde, net als ik opgeheven door een slijmerige grijparm.

[9] Leven of dood?

Toen ik ontwaakte had ik het zo koud dat het leek alsof ik middenin een gigantisch ijsblok zat opgesloten. Mijn handen en voeten tintelden en huiveringen gleden onophoudelijk over mijn hele lichaam, dat verkrampt was van de kou. Boven me hing een cirkelvormige maan die de donkerte om me heen een beetje temperde. Ik draaide mijn hoofd opzij. Normaal een heel eenvoudige beweging, maar nu een marteling voor mijn bevroren hals. Ik lag in een besneeuwde grasweide. Hoe uitgestrekt de vlakte was kon ik niet zien vanwege de duisternis. Omdat er veel bomen stonden, vermoedde ik dat ik op de weide lag ten oosten van de hoofdweg, maar was daar absoluut niet zeker van.

Iemand had mijn kleren uitgetrokken. Een lang, wit kleed was het enige dat mijn lichaam omhulde. Veel warmte gaf het dunne kledingstuk niet. Ik kon alleen maar dromen van een wollen muts en een paar dikke handschoenen.

Naast me doemden twee paar benen op. Ik tilde mijn hoofd een beetje op om na te gaan van wie ze waren. Pijn trok door mijn hele lichaam als gevolg van deze minieme beweging.

Het waren de pastoor en Arnold. Ik merkte mijn gsm op in de broekzak van Kika's vader.

Het deed verdomd veel pijn om mijn kaken en lippen te bewegen. Maar na enkele pogingen slaagde ik erin.

'Wat gaan jullie met me doen?'

Het was niet meer dan een gefluister.

Kika's vader zag dat ik iets wilde zeggen en bracht zijn oor tot tegen mijn lippen.

'Wat gaan jullie met me doen?' herhaalde ik en ik moest haast huilen van de pijn.

'Het is zaterdagavond, Ella.'

Dit korte antwoord was genoeg om te weten wat er te gebeuren stond. Om middernacht zouden ze me offeren aan het buitenaardse schepsel. Het was moeilijk om mijn eigen dood voor te stellen. Hoe was het als je stierf? Duurde dat lang of was het een kort moment, als een zucht? Zou ik er iets van voelen? Waarschijnlijk niet. Mijn lichaam was gevoelloos van de kou.

'Hebben de diuretica en de andere zoutafdrijvende producten die je haar gegeven hebt hun werk gedaan?' vroeg Arnold aan de pastoor.

'Ik hoop het. Voor de zekerheid heb ik haar nog wat van dat middel toegediend.'

Hadden ze me zoutafdrijvende producten gegeven? Waarom? Mijn gedachten kronkelden zich om de materie en het duurde niet lang voor ik dacht aan de ongezouten voeding in Horville. Dat was één van de raadsels waarop ik geen antwoord had gekregen. Waarom aten de inwoners geen zout? Waarom strooiden ze geen zout op de besneeuwde straten? Waarom was zout zelfs verboden? Het antwoord zweefde ergens rond in mijn hoofd, maar ik kreeg het niet te pakken. Tot ik me plots herinnerde dat ik zoute chips in bad had gegeten. Een tentakel van het gedrocht had me daar lastigvallen, maar plotseling had hij zich teruggetrokken. Ik besefte nu dat de octopus de aftocht had geblazen, net op het ogenblik dat ik het pakje zoute chips in bad had laten vallen. Op het moment zelf had het toeval geleken, maar nu besefte ik dat het dat niet was. Er was maar één verklaring: het buitenaardse wezen had een afkeer van zout!

Maar waarom sprak de pastoor over zoutafdrijvende middelen? Mijn gedachten zwierven terug naar de receptie in de parochiezaal. Toen had de pastoor ons gezalfd. Bovendien moesten we een smerig goedje drinken. Had dat er iets mee te maken? *Natuurlijk!* bedacht ik. *Het wezen wil mij alleen als offer als er zo weinig mogelijk zout in mijn lichaam zit. Daarom heeft de pastoor me iets gegeven om het zout uit mijn lichaam te drijven. Daarom ook dat ik zoveel moest plassen na de receptie!*

Ik had me al zitten afvragen waarom het buitenaardse gedrocht de inwoners van Horville nodig had om kinderen te offeren als het zelf toch zo sterk was. En nu had ik het antwoord. Het wezen had hen nodig om zoutafdrijvende middelen toe te dienen aan de mensen die geofferd werden. Het monster lustte geen mensen omdat er teveel zout in hun lichaam zat. De zoutafdrijvende middelen losten dat probleem op.

Mijn gedachten gingen daarbij naar Storm. De octopus had mijn hamster wel kunnen oppeuzelen omdat die bijna geen zout at. Waarschijnlijk was Storm een lekker tussendoortje voor het wezen geweest.

Waarom had ik dat allemaal niet eerder ingezien? Misschien had ik dan iets tegen het monster kunnen doen. Maar wat dan? Een zoutvaatje over zijn tentakels kiepen? Dat zou heus niet voldoende zijn om het wezen te vernietigen.

'Ik ga de burgemeester halen', hoorde ik de pastoor zeggen.

Toen de pastoor ervandoor was, sprak ik Arnold aan.

'Waar is mijn moeder?'

Hij verstond mijn geprevel niet en bracht zijn oor opnieuw tot voor mijn mond.

'Waar is mams?'

'Ze is op een veilige plaats. Samen met Kika.'

Ik keek hem met zielige ogen aan.

'Help me.'

'Het spijt me, Ella, dat kan ik niet.'

'Kika… zij is… de volgende.'

'Niet als we andere kinderen vinden.'

Het deed enorm veel pijn om te spreken, maar toch deed ik het. Dit was waarschijnlijk mijn laatste gesprek op aarde, dat mocht wel even pijn doen.

'Kika… Kika zal het jou niet vergeven als je mij offert. Ze zal moeilijk doen… de burgemeester zal haar laten offeren!'

Arnold keek me aan. In zijn ogen zag ik dat hij besefte dat ik gelijk had, maar ook dat hij niet de moed had om iets te ondernemen tegen de burgemeester of tegen het buitenaardse gedrocht. Daarom besloot ik om het hem gemakkelijk te maken.

'Mijn gsm', prevelde ik. 'Leg hem gewoon naast me.'

Arnold keek me weifelend aan. Na een aarzeling, die wel eeuwen leek te duren, diepte hij mijn gsm uit zijn broekzak op en legde hem in mijn hand. Daarna keerde hij me de rug toe alsof hij er niets mee te maken had.

Het deed me goed om de gsm te omklemmen, hij voelde aan als een reddingsboei. Maar hoeveel moeite ik ook deed, ik slaagde er niet in om de gsm naar mijn oor te brengen. Het gewricht van mijn elleboog was bevroren. Ik had geen enkel gevoel in mijn arm.

Op het ogenblik dat ik Kika's vader wilde vragen om de gsm tegen mijn oor te drukken, hoorde ik de stemmen van de burgemeester en de pastoor. Ze waren in aantocht. Arnold zou me nu zeker niet meer helpen. Wat moest ik doen? Een sms!

Mijn vingers tintelden van de kou. Gelukkig kon ik mijn wijsvinger nog een heel klein beetje bewegen, maar heel veel gevoel had ik er niet in. Ik wist daarom ook niet of ik wel de juiste toetsen indrukte. Ik hoopte het met heel mijn hart, want anders zou het bericht onleesbaar zijn.

Toch besefte ik dat ik mijzelf aan een strohalm vastklampte, want zelfs al typte ik de mededeling juist in, hij was zo krankzinnig dat niemand het in zijn hoofd zou halen om me te hulp te schieten.

Met mijn bevroren vingers duurde het een tijdje voor ik het bericht had ingetypt. Met een laatste duw op de toets verstuurde ik de sms naar paps. Zijn naam stond als eerste in mijn gsm, waardoor ik er haast zeker van was dat ik het bericht naar het juiste nummer stuurde.

Kika's vader griste de gsm uit mijn hand en stak hem in zijn broekzak net voor de burgemeester en de pastoor erbij kwamen staan. Ik had mijn berichtje maar net op tijd kunnen verzenden.

De burgemeester wilde mij toespreken, maar zweeg toen mijn gsm de *X-men* tune begon te spelen. Vermoedelijk paps om me te vragen waarom ik zo'n vreemde sms had gestuurd.

Op vraag van de burgemeester viste Kika's vader de gsm uit zijn broekzak. De burgemeester pakte de gsm over en keek naar het display.

'Paps', las hij.

De burgemeester fronste zijn wenkbrauwen en keek naar Kika's vader.

'Waarom voelt deze gsm zo koud aan, Arnold? Hij zat toch in je broekzak!'

Kika's vader bleef aarzelend staan en blikte naar de grond, op zoek naar een aanneembare uitleg.

'Arnold, heb jij geprobeerd om Ella's vader te bereiken?'
vroeg de burgemeester.
'Ik... Ik...'
'Ga naar huis, Arnold. We hebben het er later over. Maar jij
hoort hier nu niet thuis.'
De burgemeester sprak heel rustig, maar zijn stem was kil.
Hij was zichtbaar woedend om wat zijn schepen had gedaan
en zou hem daar op een later tijdstip voor laten boeten.
Kika's vader wierp nog een laatste blik op me en ging er
toen vandoor. In zijn ogen las ik angst. Hij besefte maar
al te goed dat de burgemeester hem zou straffen voor zijn
ontrouw. Ik hoopte dat hij moedig genoeg was om er met
Kika vandoor te gaan, want als hij hier in Horville bleef zou
mijn beste vriendin over drie maanden op de plaats liggen
waar ik nu lag.
De burgemeester staarde vol walging naar mijn gsm toen
het apparaat voor de tweede keer afging.
'Opnieuw je papaatje.'
Met zijn duim schakelde hij mijn gsm uit.
'Spijtig, maar we hebben nu geen tijd voor een onderonsje.'
Tranen rolden over mijn wangen en bevroren nog voor ze in
de sneeuw konden druppelen.

•

De pastoor voerde rituelen uit terwijl de burgemeester toe-
keek. Hij zei vreemde gebeden op, zong in vreemde talen,
goot een zoete drank uit over mijn hele lichaam en tekende
het stersymbool op mijn handen, voeten en voorhoofd.
Deed de duivelse zielenherder dit om het octopusschepsel
te lokken? Of om van de offerplechtigheid iets spiritueels
te maken, zodat een kind aan een monster voederen werd
verheerlijkt en het niet zo gruwelijk leek als het in feite was?

Geregeld werd het me zwart voor de ogen en verloor ik het bewustzijn, waardoor ik geen besef van tijd meer had. Was het vijf minuten, een kwartier, een uur of langer geleden sinds de pastoor met de rituelen was gestart? Ik had er geen flauw idee van. Realiteit en droom begonnen ook in elkaar over te lopen, zodat ik niet meer met zekerheid kon zeggen of dit allemaal wel echt gebeurde. Misschien lag ik in mijn bed thuis in de stad en had een absurde nachtmerrie.

De gruwelijke werkelijkheid drong tot me door toen het kattengezang van de pastoor abrupt ophield en hij angstig achteruitweek voor de honderden tentakels, zowel flinter-dunne als dikke kwabbige, die in het rond zwaaiden, slin-gerden en glibberden.

Het was middernacht! Tijd voor het wezen om zich te voe-den. En ik was zijn hoofdgerecht!

Hoewel er honderden grijparmen om me heen zwiepten, besefte ik maar al te goed dat het buitenaardse monster nog veel groter was dan ik nu te zien kreeg. Als de wortels van een gigantische boom zat het schepsel vertakt onder heel Horville.

Ondanks de snijdende kou, de slaperige toestand en de schreeuwende pijn, keerde de doodsangst in alle hevigheid terug. Ik was te jong om te sterven! Maar het buitenaardse schepsel dacht daar anders over. Het wilde zich voeden met mijn sappige, malse vlees en zijn dorst stillen met mijn warme, stromende bloed.

De glibberige tentakels, die glansden in het maanlicht, kron-kelden over mijn armen, benen, buik en hoofd. Walging deinde door mij heen. Ik wilde het uitschreeuwen, maar er kwam niet het minste geluid uit mijn wijd opengesperde mond. De kou had mijn stembanden aangetast. Ik beval mijn lichaam om zich op te richten maar de vrieskou was doorgedrongen tot in mijn botten en ik kon geen spiertje meer bewegen.

De buitenaardse octopus kon met mij doen wat hij wilde.

Mijn maag kwam in opstand toen ik tussen zijn gladde grijparmen een glimp van zijn misselijkmakende kop opving. Een gigantische, misvormde, paarsroze kop met in het midden een opening met hier en daar puntige tanden. Een neus, oren of ogen zag ik niet. Waarschijnlijk vervulden zijn dikke, lange tentakels de functie van zintuigen en kon hij ermee ruiken, horen en zien.

Had ik maar de krachten van één van de X-men, dan had ik tenminste iets kunnen ondernemen. Nu kon ik alleen maar bidden dat ik niet hoefde te lijden. Wat als het gedrocht eerst mijn benen oppeuzelde? Om pas daarna de rest van mijn lichaam te verorberen? De pijn zou niet te harden zijn. Op welk ogenblik zou ik het bewustzijn verliezen? Op het ogenblik dat het wezen mijn voet eraf knaagde of pas veel later als hij mijn lichaam al tot aan de navel had verslonden?

Ik probeerde aan iets anders te denken. Aan mams en paps. Aan de tijd dat we nog samen een gelukkig gezinnetje vormden. Aan die keer toen we de Efteling bezochten en mams misselijk werd na een ritje in de achtbaan. Aan mijn verjaardagsfeestje toen ik tien jaar werd en van mams en paps een spelletjescomputer kreeg. Aan de gezelligheid van Kerstmis en aan vele andere prachtige momenten in mijn jonge leven.

De laatste seconden van mijn korte leven had ik er spijt van dat ik zo dikwijls moeilijk had gedaan tegen mams en paps. Waarom was ik zo cynisch geweest en had ik van zo weinig dingen kunnen genieten? Waarom had ik altijd met alles de spot gedreven?

Terwijl die gedachten door mijn hoofd gingen, zag ik hoe

het monster zijn bek opensperde en zijn puntige tanden ontblootte. Het was klaar om toe te happen. God, wat was ik bang.

•

Tot mijn verbazing plantten zijn puntige tanden zich niet in mijn malse vlees. Zijn bek klapte dicht en zijn tentakels begonnen nerveus heen en weer te zwiepen.

Ik besefte niet wat er aan de hand was, tot ik mijn hoofd naar rechts draaide en in het duister twee oranje zwaailichten langzaam zag vorderen. Op dat moment werd ik me ook bewust van het diepe gebrom van een vrachtwagen. Een strooiwagen met zwaailichten reed over de hoofdweg in Horville. Paps was gekomen!

Ik had nooit durven denken dat paps mijn sms-bericht serieus zou nemen. 'ZOUT STROOIEN IN HORVILLE. ANDERS STERF IK', was het bericht dat ik had gestuurd. Ik had er ook aan toegevoegd 'KRUIS OVER MIJN HART' zodat hij zou weten dat ik niet loog. Maar ik had nooit gedacht dat dit voldoende zou zijn om hem te overtuigen.

En nu was hij hier! Of was het gewoon een illusie, voortgebracht door mijn brein om de waarheid te ontkennen?

Toen het octopuswezen van me afgleed en vreemde kreten begon te slaken, besefte ik dat het geen droom was.

De burgemeester en de pastoor keken verschrikt naar de strooiwagen die Horville doorkruiste.

'Wat is er verdomme aan de hand!' brulde de burgemeester. 'Dit mag niet! Dit kan niet! Doe iets, pastoor!'

De zielenherder van Horville stond er onbeholpen bij. Zijn reactievermogen was even groot als dat van een platgereden egel. De burgemeester pakte de pastoor bij zijn kraag beet en schudde hem door elkaar.

'Doe dan toch iets, verdomme!'

Het enige wat de pastoor deed was staren naar het buitenaardse monster dat zich terugtrok onder de grond, terwijl het sommige van zijn tentakels verloor. De afgeworpen grijparmen smeulden en begonnen op te lossen alsof er zoutzuur overheen was gegoten. Het zout beet al zijn lichaamscellen kapot en het wezen veranderde in een hoop slijm. Wat van zijn gigantische slijmerige kop overbleef dook onder in de sneeuw.

Een seconde later begon de aarde te beven en te sidderen, alsof het einde van de wereld was aangebroken. Het einde van Horville leek het in elk geval te worden, want door de aardschokken knakten dikke, oude boomstammen alsof het lucifers waren, barstte de grond op vele plaatsen open en verschenen er diepe geulen in de grond.

Net naast me, op de plaats waar de burgemeester en de pastoor stonden, spleet de aardkorst open. Verbaasd keken ze naar beneden om even later gillend in de diepe kloof te storten. Hun langgerekte kreet hield enkele seconden aan en kwam vervolgens tot een abrupt einde.

Overal in het stadje hoorde ik schreeuwen en huilen, roepen en tieren. De dreunende en rommelende geluiden van instortende huizen en boerderijen joegen mij de angst op het lijf.

Het enige wat ik zag waren de twee oranje zwaailichten die door de duisternis bewogen, waardoor ik wist dat de strooiwagen zijn weg onverstoord voort zette en het zout op de straten bleef sproeien.

Ik was blij dat ik door de donkerte de afschuwelijke taferelen niet kon aanschouwen. De nachtmerries zouden nu al erg genoeg zijn, gesteld dat ik het overleefde. Want ik was zo verheugd over de komst van de strooiwagen dat ik me nu pas realiseerde dat ik nog steeds in groot gevaar verkeerde. Ik kon me niet bewegen en naast me gaapte een diepe geul. Als die ook maar een paar centimeter breder werd, zou ik erin storten.

Het enige dat ik kon doen was wachten en bidden dat paps me hier na zijn strooironde zou vinden, voor ik stierf van de kou.

Terwijl ik wachtte, hoorde ik hoe het gekrijs, geschreeuw en gehuil in Horville toenam. De aardkorst begon nog heviger te schokken. Even later ontstonden er hier en daar brandhaarden, waarschijnlijk door stroomkabels die knapten en gasleidingen die braken. Door het licht dat het vuur verspreidde, kon ik de taferelen nu wel aanschouwen, maar die waren zo vreselijk dat ik mijn ogen dichtkneep. Dit was het einde van het monster en van Horville. En waarschijnlijk ook mijn einde.

'Ella?'

Ik opende mijn ogen en tuurde om me heen, maar zag niet wie me aansprak.

Plotseling viel er een meisje naast me op haar knieën.

Kika, wilde ik zeggen maar ik kon geen woord uitbrengen.

Kika keek over haar schouder.

'Pa, ze is er slecht aan toe!' hoorde ik haar zeggen.

Ik voelde hoe de armen van Arnold me omsloten. De warmte van zijn lichaam deed me goed.

Een tel later boog mams zich over mij. Nog nooit was ik zo blij geweest om haar te zien. Ik probeerde te glimlachen, maar slaagde er niet in omdat elk gezichtspiertje bevroren was.

'Ella, lieve meid, gaat het met je?' vroeg ze, terwijl de tranen langs haar wangen liepen.

Ik wilde zeggen dat alles goed met me was, maar mijn ogen sloten zich en ik viel in een diepe slaap.

[10] Einde of begin?

Toen ik mijn ogen opende zaten mams en paps op een gammel stoeltje naast mijn bed. Ze veerden overeind en omhelsden me lang en intens, alsof ze me in geen jaren meer hadden gezien. Ik maakte er geen opmerking over. Hun omarming deed me goed.

'Waar ben ik?'

Ik was blij dat ik opnieuw kon spreken, maar mijn kaakspieren deden nog verdomd veel pijn.

'In het stedelijke ziekenhuis van Amstrecht', antwoordde mams met een gezwollen stem. 'Alles is goed met je. Je hebt alleen lang geslapen.'

'Kika?'

'Die wacht buiten in de gang. Samen met haar vader.'

'Wil... wil je ze gaan roepen?'

'Natuurlijk.'

Terwijl mams naar buiten was, richtte ik me tot paps.

'Bedankt.'

'Waarvoor?' vroeg paps.

'Om naar Horville te komen.'

'Zout strooien is mijn werk', lachte hij.

'Hoe komt het dat... dat je me geloofde?'

'Wel, eigenlijk, geloofde ik je niet, Ella. Wie gelooft er nou zo'n vreemd bericht. Maar toen je niet opnam werd ik ongerust. Ik besloot toen maar om af te zakken naar Horville,

ook al omdat je vorige keer zo raar deed aan telefoon. Toch
bleef ik eigenlijk denken dat het om een grap ging. Ach ja,
door jou wilde ik me wel voor schut laten zetten.'
'Als je niet was gekomen, dan…'
'Ik ben gekomen, nietwaar?'
Ik glimlachte.
'Geen enkele andere vader had zoiets geloofd.'
Paps veegde iets weg uit zijn oog.
'Een stofje', zei hij vlug.
'Kruis over je hart?' vroeg ik.
Paps schudde zijn hoofd.
'Nee, het was geen vuiltje', gaf hij toe. 'Vaders mogen toch
ook wel eens huilen.'
Toen Kika en haar vader de ziekenhuiskamer binnenkwamen,
veegde paps zijn tranen vlug af met de palm van zijn hand.
Kika kwam naast mijn bed staan.
'Het monster is dood, Ella!' glimlachte ze. 'En ik heb nog
meer belangrijk nieuws.'
'O ja?'
Ze bracht haar beide handen tot dicht bij mijn gezicht.
'Mijn nagels zijn gegroeid!'
'Dat is het beste nieuws dat ik ooit gehoord heb', lachte ik.
Kika, mams en paps lachten met me mee.
Kika's vader lachte niet. Met een bedroefd gezicht pos-
teerde hij zich naast Kika.
'Het spijt me', zei hij. 'Ik had de burgemeester en het stads-
bestuur nooit moeten volgen en…'
'Het is oké', onderbrak ik hem. 'Laten we daar maar niet
meer aan denken.'
Kika's vader keek me dankbaar aan, maar in zijn ogen zag
ik nog steeds een diepe triestheid. Toen realiseerde ik me
dat Kika's moeder er niet was.

'Waar is je moeder?'

Terwijl de vraag over mijn lippen rolde, zag ik aan alle gezichten dat ik hem beter niet had kunnen stellen. Tranen sprongen in Kika's ogen.

'Ma is... ze is... ze is omgekomen in een brand tijdens de aardbeving.'

'Het... het spijt me,' zei ik, omdat ik niets kon bedenken dat haar zou kunnen troosten.

'Heel wat inwoners van Horville zijn gestorven tijdens de aardbeving', ging Kika dapper verder. 'Sommigen werden bedolven onder het puin, anderen stierven net zoals ma in de brand of werden verzwolgen door de aarde.'

Tranen verstikten Kika's stem en ik omhelsde haar innig. Mijn gedachten zwierven ook naar het lieve oude dametje Victoria dat door het monster was gedood.

Kika's vader nam het woord.

'De weinige mensen die het overleefden gaan verhuizen. Vele onder hen naar een naburig stadje en enkele anderen, zoals jij en je moeder, naar de stad. Ook Kika en ik komen hier in Amstrecht wonen. In een appartement. Samen met je moeder hebben we besloten iets dicht bij elkaar te zoeken.'

'Super', bracht ik uit, waarna ik me tot Kika wendde. 'Beste vriendinnen voor altijd?'

'Van mij kom je niet meer af', lachte ze.

•

Het was weer even wennen aan de snelheid van de stad, maar toen ik eenmaal volledig hersteld was, pikte ik de draad weer vlug op. Voor Kika was het moeilijker, want die was het ritme van de grote stad niet gewend. Bovendien was ze in haar leven met zovele leugens geconfronteerd dat ze heel wat tijd nodig had om zich aan te passen aan de realiteit. Toch was ze gelukkiger dan ooit tevoren, al miste ze haar moeder heel erg.

Door wat we samen hadden meegemaakt waren Kika en ik onafscheidelijk, ook op school. Dafne vond dat helemaal niet erg, want ze bracht tegenwoordig de meeste tijd in de gespierde armen van Mike door. Kika en ik namen het besluit om ons nooit te laten scheiden door een jongen. Jongens... pfff... wat heb je daar nou aan!

Tijdens een bezoekje aan de plaatselijke kermis genoten we van de botsautootjes, de gokhal en de rups.

Midden op het stadsplein stond een grote, nieuwe attractie, genaamd "De octopus". Het was een reusachtige, groene, stalen octopus die in elk van zijn acht gigantische tentakels een cabine vasthield waarin vier personen zaten. Als de attractie eenmaal in werking ging, bewoog de octopus zijn tentakels op en neer terwijl hij in het rond draaide.

Kika verbaasde me door te zeggen: 'Daar moeten we in!'

'Meen je dat?' vroeg ik. 'Durf je dat wel aan, na alles wat er gebeurd is?'

'Het is toch geen echte octopus!'

'Nee', gaf ik haar gelijk. 'En ook geen buitenaardse.'

'Nou, dan lijkt het me wel leuk.'

'Goed dan', stemde ik in.

Hoewel we allebei deden alsof we niet bang waren, bonkte ons hart als een gek tegen onze ribben. Maar we moesten dit doen. Het was een soort van ritueel om een einde te maken aan het verleden en met een schone lei te beginnen.

Skelettendans

De opa van de dertienjarige Toby is monster-
jager. Wanneer Toby na de dood van zijn opa
in diens voetsporen treedt, raakt hij al vlug
verzeild in een ijzingwekkend avontuur.

Skeletten verlaten hun graf om een dans
uit te voeren die ene Marshal meester van
aarde, hemel en hel moet maken.

Toby en zijn vrienden zetten hun leven op
het spel om te verhinderen dat de skeletten-
dans wordt uitgevoerd. Maar wie is Marshal,
en is hij wel te stoppen?

De Halloweenbaby

Thalia vindt Halloween stom. Ze haat het feest en niet het minst omdat haar kleine broertje Donny op 31 oktober geboren is. Maar als Thalia op de ochtend van Halloween ontwaakt, is haar broertje verdwenen. En dat is niet eens het vreemdste. Het meest bizarre is dat niemand Donny mist. Niemand herinnert zich zelfs dat Donny ooit werd geboren. Thalia mag dan de pest hebben aan haar broertje, toch wil ze achterhalen wat er met hem gebeurd is. Is hij ontvoerd? En zo ja, door wie? En waarom herinnert niemand zich Donny?

Thalia onderneemt een duistere zoektocht die haar voert tot in het diepste van de hel…

Bloedmaan

November.

Volle maan.

Bloedmaan.

De maan van het bloed van de dieren die hun leven hebben gegeven voor de jacht.

Een tijd voor magie, en het eren van alles wat gestorven is. Maar sommige duistere figuren die 's nachts op aarde rondsluipen zijn onsterfelijk. Ze volgen de lokroep van de maan en vallen mensen aan. Deze bloeddorstige weerwolven hebben maar één doel: de wereld onderwerpen aan hun wil.

Toby, Hans en Ilke staan voor de onmogelijke opdracht om deze wezens van de nacht te vernietigen.

Duivelsduister

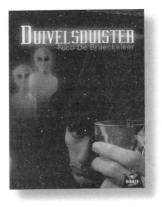

Als de 12-jarige Branco met zijn vrienden naar het circus gaat, kruipt hij tijdens de goochelact in een kist. Voor de kist dichtgaat, fluistert de goochelaar het woord 'Duivelsduister'.

Nadat Branco uit de kist is gekropen, is niets meer hetzelfde. Zijn vrienden, zijn ouders en zelfs zijn hond gedragen zich net iets anders dan voorheen. Er moet iets met de wereld gebeurd zijn in de korte tijd die Branco in de kist heeft doorgebracht. Maar wat?

Langzaam maar zeker komt Branco erachter welk duister, duivels spel er met hem wordt gespeeld…